TOUT CE QUE LES PUBLICITAIRES NE VOUS DISENT PAS

Catalogage avant publication de Bibliothèque et Archives nationales du Québec et Bibliothèque et Archives Canada

Granata, Arnaud
Tout ce que les publicitaires ne vous disent pas
ISBN 978-2-89705-344-4
1. Publicité. 2. Consommateurs - Comportement. I. Mailhiot, Stéphane. II. Titre.
HF5823.G72 2015 659.1 C2015-940330-8

Présidente : Caroline Jamet
Directeur de l'édition : Éric Fourlanty
Directrice de la commercialisation : Sandrine Donkers
Responsable gestion de la production : Carla Menza
Communications : Marie-Pierre Hamel

Éditrice déléguée : Nathalie Guillet
Conception de la couverture : Maxime Sauté
Conception et montage intérieur : Simon L'Archevêque
Photo des auteurs : Anouk Lessard / L'ÉLOI
Révision linguistique : François Morin
Correction d'épreuves : Natacha Auclair

L'éditeur bénéficie du soutien de la Société de développement des entreprises culturelles du Québec (SODEC) pour son programme d'édition et pour ses activités de promotion.

L'éditeur remercie le gouvernement du Québec de l'aide financière accordée à l'édition de cet ouvrage par l'entremise du Programme de crédit d'impôt pour l'édition de livres, administré par la SODEC.

Nous reconnaissons l'aide financière du gouvernement du Canada par l'entremise du Fonds du livre du Canada (FLC).

Nous remercions le Conseil des arts du Canada de l'aide accordée à notre programme de publication.

Dépôt légal – 2e trimestre 2015
ISBN 978-2-89705-344-4
Imprimé et relié au Canada

LES ÉDITIONS **LA PRESSE**
7, rue Saint-Jacques
Montréal (Québec)
H2Y 1K9

ARNAUD GRANATA + STÉPHANE MAILHIOT

TOUT CE QUE LES PUBLICITAIRES NE VOUS DISENT PAS

LES ÉDITIONS **LA PRESSE**

À nous tous, consommateurs,
ne cessons jamais d'être critiques.

Acheter, c'est encourager les meilleures marques
et sanctionner les autres.

TABLE DES MATIÈRES

AVANT-PROPOS

TOUS CONSOMMATEURS, TOUS PUBLICITAIRES !

« La pub nous manipule », « il y a beaucoup trop de pub » et « la pub m'énerve » sont sans doute les choses que nous nous faisons dire le plus souvent lorsque nous parlons de nos métiers. D'ailleurs, ce n'est pas pour rien que, sur le baromètre de la confiance qu'ils inspirent, les publicitaires arrivent au bas de l'échelle, tout juste devant les politiciens.

Plus que jamais, les spécialistes de l'image, de la communication et de la mise en marché sont mis à contribution dans toutes les sphères de notre société. La publicité a une influence sur ce que nous mangeons, portons, conduisons. Le choix du lieu de nos vacances et des activités que nous y ferons subit l'influence des faiseurs d'images. Notre vote pour tel ou tel politicien, notre soutien à une cause sociale, la façon dont nous envisageons la retraite sont influencés par la communication. La publicité est aussi omniprésente parce qu'elle propose des produits et des services qui répondent à notre envie de nous démarquer dans une société capitaliste et compétitive. Par ailleurs, la communication, et plus particulièrement la publicité, sert à faire passer des messages, à informer parfois, à divertir souvent, à sensibiliser à une cause, à changer des comportements à risque...

Sommes-nous devenus esclaves des publicitaires ? Avons-nous intégré le discours des marques et des organisations dans notre quotidien au point de ne plus voir son impact sur nous ? Ou, au contraire, la publicité est-elle devenue caduque et dépourvue d'influence sur nos choix de consommation ? Sommes-nous devenus plus malins qu'elle ?

S'intéresser au monde de la consommation et mieux comprendre les stratégies des marques et des organisations pour nous vendre leurs produits et services, c'est aussi devenir un consommateur plus averti, plus responsable, plus libre. Tout en cherchant à nous plaire, la publicité est souvent un puissant reflet de notre société. Au mieux, elle nous renvoie un regard sensible sur nos vies ; au pire, elle est un miroir de notre consommation abusive.

Nous proposons ici un ouvrage pratique et ludique qui permettra aux curieux de mieux comprendre le monde de la consommation, de la publicité et des médias en répondant aux principales questions que se posent les auditeurs de notre chronique « Bêtes de pub » à l'émission *Médium Large,* animée par Catherine Perrin sur les ondes de Ici Radio-Canada Première. Nous tenterons d'y apporter des réponses claires et précises.

En bref, nous vous révélons ici tout ce que les publicitaires et les marques ne vous disent pas. Bonne lecture, et n'hésitez pas à nous poser vos questions directement !

Arnaud Granata (@arnaudgranata)
Stéphane Mailhiot (@smailhiot)

Pour discuter du livre, rejoignez-nous sur Twitter avec le mot-clic **#betesdepub.**

ABSURDE

POURQUOI LES PERSONNAGES SONT-ILS SOUVENT STUPIDES EN PUBLICITÉ ?

Les personnages ou les actions stupides ou absurdes sont monnaie courante dans de nombreuses publicités, au Québec comme ailleurs. Pourquoi ? Parce que le message devient ainsi facilement mémorable. En 2013, la chaîne de restauration américaine Wendy's a créé une campagne de pub complètement absurde pour faire la promotion de son nouveau hamburger. La campagne mettait en scène des personnages se donnant comme seules répliques les messages envoyés sur Twitter par les consommateurs. Résultat ? Un roman-savon aux discours absolument insensés, sans queue ni tête. Des énoncés entremêlant des mots-clics et des non-sens. Le procédé n'est pas sans rappeler le succès publicitaire de Budweiser de 1999 avec son «*WaaaaaasssUppp*». Dans cette publicité du brasseur, des jeunes hommes étiraient à l'excès l'expression familière «*What's up*». Le message télé s'est rapidement fait un chemin dans la culture populaire, au point d'être parodié au cinéma (*Scary Movie*) et au petit écran (*The Simpsons*).

En 2014, la société de transport de Melbourne et son agence de publicité McCann ont raflé les grands honneurs du Festival international de la créativité de Cannes, les «Oscars de la pub», pour leur campagne décalée *Dumb Ways to Die*. Le message fait défiler 21 personnages animés connaissant tous des morts ridicules et improbables sur les notes d'une chanson qui est devenue un ver d'oreille instantané. Parmi les situations «inutilement» dangereuses, on évoque le cas des accidents qui arrivent dans le métro à ceux qui se tiennent trop près des rames. Le message a contribué à réduire de plus de 20% les accidents et la mortalité dans le métro.

Au Québec, nombreux sont les exemples de publicités qui recourent à l'absurde. Benoît, dans la campagne qui fait la promotion des fromages d'ici, est somme toute assez caricatural. Un monsieur je-sais-tout, qui répond à tout, tout le temps, mais tout le temps de travers. Un personnage qui confond l'écrivain Michel Tremblay et un certain monsieur Gautier, qui aurait écrit les *Beaux-Frères* (au lieu des *Belles-Sœurs*), qui prend la Grèce pour l'Italie et multiplie ainsi les sottises et les approximations. Et que dire du personnage de Roger le garagiste dans les pubs de Honda, qui a marqué l'imaginaire québécois en faisant étalage de ses vastes «connaissances» en entretien automobile?

LA PUB GAGNE-T-ELLE À NOUS PRENDRE POUR DES IMBÉCILES?

L'absurde est une des formes les plus usitées de l'humour. Au théâtre, Ionesco le maniait avec habileté dans *La Cantatrice chauve*. Ce procédé est souvent exploité en publicité en raison de son accessibilité, de sa facilité de compréhension et de la rapidité de sa mise en situation. Trente secondes, c'est généralement le temps dont une marque dispose pour nous séduire à l'écran. L'absurde implique la répétition, la coïncidence, les clichés et les contradictions: un mélange qui fait rire à tous coups et qui permet de retenir le message. C'est aussi un moyen facile de rejoindre toutes les classes sociales et tous les âges.

Fait à noter : les personnages absurdes sont bien souvent joués par des hommes. Rares sont les marques qui se risquent à leur donner un visage féminin, tant la femme symbolise, en publicité, le charme et le désir.

QUIZZ

CONNAISSEZ-VOUS VOS PUBS ?

Quelle marque a mis en scène, au début des années 2000, un clown absurde qui ne cessait de chanter « bonjour Toto » ?

Réponse : Bell.

ACTIVISTES

ET SI C'ÉTAIT VOUS, LE PUBLICITAIRE?

En 2012, une vaste opération de communication, Kony 2012, a été mise sur pied dans l'espoir de mener à l'arrestation de Joseph Kony, un chef rebelle ougandais accusé de plusieurs crimes, dont l'enlèvement d'enfants pour en faire des soldats de l'Armée de Résistance du Seigneur, mouvement extrémiste chrétien actif au Soudan du Sud et en République démocratique du Congo. Largement relayée sur les médias sociaux, l'opération menée par l'association Invisible Children diffusait une vidéo qui est devenue la plus virale de l'histoire du Web, selon l'institut de mesure Visible Measure. Le mini-documentaire de 30 minutes a été vu 70 millions de fois en moins de deux semaines. On invitait les gens à partager et à « aimer » virtuellement cette opération. Malgré le succès de la campagne sur le Web et l'augmentation de la notoriété de Joseph Kony, il n'a pas été possible de l'arrêter. L'organisme a d'ailleurs dû essuyer de nombreuses critiques, notamment à propos de l'importante somme d'argent investie dans cette action de communication, comparativement au peu d'initiatives qui semblaient avoir été tentées sur le terrain.

QU'EST-CE QUE L'ACTIVISME VIENT FAIRE DANS UN LIVRE SUR LA CONSOMMATION ET LA PUBLICITÉ?

Face à la montée en puissance des réseaux sociaux, un nouveau phénomène s'est développé : l'activisme dit « mou » (*slacktisvism,* en anglais). L'activiste passif multiplie les petits gestes en faveur d'une cause, comme signer une pétition en ligne, aimer une page sur Facebook, partager un message sur Twitter, et devient ainsi un agent de communication et de publicité pour une ou plusieurs causes. Mais est-ce que cela aide réellement ?

En 2013, l'UNICEF a pris acte de cette nouvelle réalité des « activistes mous » et a lancé une grande offensive de communication pour dénoncer le manque d'engagement des internautes qui posent des gestes malheureusement trop virtuels. Dans sa publicité, on pouvait lire : « Aimez-nous sur Facebook et nous vaccinerons zéro enfant contre la polio. » À quoi elle ajoutait : « Nous n'avons rien contre les "j'aime", mais les vaccins coûtent de l'argent. Cela ne vous coûtera que 4 euros, mais vous sauverez la vie de 12 enfants. »

Ces deux exemples confirment les propos de l'auteur américain Malcolm Gladwell (*Le point de bascule* et *La force de l'intuition*), qui dénonce notre société qui ne boycotte plus que sur le Web et les médias sociaux. L'expression d'un engagement en ligne qui n'est pas suivi d'un geste concret ne sert pas à grand-chose ; il faut néanmoins reconnaître l'importance qu'ont prise les réseaux sociaux pour les causes sociales. Quand le metteur en scène québécois Dominic Champagne, en collaboration avec l'agence web Commun, a lancé un appel dans les médias et les réseaux sociaux dans le cadre de la campagne du 22 avril 2012 (Jour de la Terre), il a réussi à faire déferler dans les rues de Montréal un mouvement de près de 200 000 personnes mobilisées pour l'environnement. Preuve que tout le bruit sur le Web n'est pas vain et que lorsque la cause rejoint les gens et les incite à agir, le procédé peut être fructueux.

Une étude de l'Université de Georgetown démontre que les activistes sur les réseaux sociaux ne sont pas plus enclins que les autres à donner de l'argent. Cependant, on sait que ces activistes passifs sont deux fois plus enclins à être bénévoles pour une cause, à prendre part à une marche, à acheter des produits qui défendent une cause. Ils sont aussi trois fois plus portés à solliciter des dons pour la cause à laquelle ils croient. Même passif, un activiste est un activiste. Il ne faut pas le sous-estimer.

LA CAMPAGNE DE PUB, C'EST VOUS !

L'activisme virtuel, même le plus passif, n'est pas toujours inutile. Les réseaux sociaux (Facebook et Twitter en tête) sont devenus de puissants porte-voix qui, bien utilisés, peuvent contribuer à faire avancer une cause :

1. **Aimer, mettre un lien ou revendiquer quelque chose** sur les réseaux sociaux, c'est poser un geste de communication.

2. **C'est aussi influencer sa communauté et sensibiliser son entourage** à un enjeu de société.

3. Sans oublier que c'est souvent **une première étape avant l'implication active**, que ce soit en argent ou en temps.

AGENCES DE PUB

UNE AGENCE, COMMENT ÇA FONCTIONNE ?

Chaque agence a sa façon de faire. Les acteurs principaux sont cependant toujours les mêmes : les équipes de création qui créent les pubs, le service-conseil qui s'occupe de la gestion des projets et de la relation avec les clients-annonceurs, puis les planificateurs stratégiques qui contribuent à la réflexion en se faisant la voix du consommateur dans le processus de création.

AVANT QUE LA PUBLICITÉ N'ENTRE EN ONDES...

Une bonne pub, ça commence par un bon *brief*. Un *brief,* c'est une rencontre entre l'agence et son client-annonceur. Ce dernier explique ses objectifs, sa situation et les défis qui l'occupent. On détermine un besoin de communication et une cible, puis l'agence se met à la recherche de la grande idée. Elle étudie les tendances en matière de communication. Elle cherche une avenue différente mais pertinente, qui colle à la marque.

Après le temps nécessaire à la conception, c'est la présentation aux clients. Les agences ont toutes leur petite idée là-dessus, mais généralement, deux ou trois concepts ou territoires sont présentés, parfois plus. L'agence explique alors ce qui l'amène à croire que les publicités proposées seront remarquées et qu'elles atteindront les objectifs du client-annonceur.

Quand le client a choisi une idée, l'agence et l'équipe de production s'engagent dans la réalisation du message (tournage télé, enregistrement radio, programmation Web, infographie, etc.) sans dépasser les budgets prescrits par le client. Finalement, la pub apparaît sur un panneau d'autoroute ou entre deux segments de notre émission favorite.

LE SAVIEZ-VOUS ?

L'Association des agences de publicité du Québec (AAPQ) réunit 70 agences de communication marketing. Au Québec, 8 d'entre elles comptent plus de 100 employés. Dans le Top 10 des agences, cinq sont affiliées à des réseaux internationaux (Ogilvy, Publicis, Marketel, DentsuBos), trois sont de propriété privée (Sid Lee, lg2 et Bleublancrouge), et les deux autres sont Cossette, qui appartient maintenant à la chinoise BlueFocus, et Nurun, le plus grand employeur du domaine au Québec, qui a récemment été rachetée par le groupe Publicis (elle appartenait auparavant à Québecor).

AMAZON

BIENTÔT LA FIN DES MAGASINS ?

« Amazon.com veut devenir la destination de commerce électronique où les consommateurs peuvent trouver et découvrir tout ce qu'ils veulent acheter en ligne. »

amazon.com C'est sur ce principe qu'Amazon est née. Créée en 1994 par Jeff Bezos, qui a fait le pari qu'un jour, les consommateurs ne voudraient plus se déplacer en magasin pour acheter des biens. Amazon s'est échafaudée sur la vente de livres par Internet. Aujourd'hui, elle a élargi son champ de distribution à la musique, aux films, à l'informatique, aux appareils ménagers et, plus récemment, à l'alimentation. Selon le classement Best Global Brands 2014 de Interbrand, elle arrive au 15e rang mondial et sa valeur a connu une croissance de plus de 25 % dans la dernière année. Tout ça, sans pub, ou presque !

De petite joueuse qu'elle était, Amazon est rapidement devenue l'une des entreprises 100 % Web qui ont connu une croissance fulgurante. Elle a été introduite en bourse en 1997, moins de quatre ans après sa fondation, avec une capitalisation de près de 150 milliards de dollars. Quinze ans plus tard, son chiffre d'affaires s'élevait à plus de 70 milliards de dollars. Les trois principales raisons du succès du modèle : la simplicité d'utilisation, le vaste choix de produits et les prix avantageux.

Bref, le modèle Amazon est de moins en moins marginal dans notre consommation. Depuis l'avènement du Web et du commerce en ligne, les consommateurs à la recherche du meilleur prix ont rapidement trouvé l'intérêt de magasiner sur le site. Aujourd'hui, Amazon est la première marque de distribution, devant le géant américain Walmart.

En lançant son Kindle en 2007, une liseuse qui permet à la fois d'acheter des livres virtuels et de commander tous les produits of-

Un entrepôt d'Amazon.

ferts sur son site, la géante a aussi lancé Amazon Prime, un système d'abonnement à prix fixe qui permet d'avoir accès à des films en « *streaming* » et à des livres, en plus de plusieurs avantages.

Depuis quelques années, Amazon entend démontrer qu'elle peut livrer partout, à partir de n'importe quel moyen technologique. Elle a été la première à tester des drones pour livrer ses colis, un coup de pub qui a fait jaser dans les médias du monde entier en 2014. Sa plus récente percée dans l'industrie alimentaire au Canada, avec la distribution de biens non périssables, annonce d'ores et déjà la stratégie du groupe : nous inciter à ne plus sortir de chez nous pour acheter nos produits, quels qu'ils soient, des objets technologiques jusqu'à nos conserves de tomates. Alors que de nombreuses grandes marques et maints détaillants traditionnels ouvrent des boutiques virtuelles pour endiguer l'effet Amazon, la géante de la vente en ligne annonçait à la fin 2014 l'ouverture d'une « boutique » physique à New York. Son but est d'y vendre ses liseuses Kindle et de permettre à ses clients de faire livrer leurs achats directement à la boutique. Opération de communication et coup de pub pour la marque, cette boutique a pour objet de donner encore plus de crédibilité à Amazon dans le « vrai » monde. En ligne ou hors ligne, la frontière est de plus en plus floue.

Le commerce de détail traditionnel saura-t-il s'ajuster ?

LE SAVIEZ-VOUS ?

Amazon fait partie des plus grands acteurs d'Internet et des nouvelles technologies au monde avec Apple, Google et Facebook. En 2013, son chiffre d'affaires était de plus de 74 milliards de dollars américains.

ANNONCEUR

QUELLES SONT LES MARQUES LES PLUS VISIBLES?

Un annonceur, dans le jargon publicitaire, c'est une marque ou une entreprise qui «annonce» dans un média pour faire la promotion de ses produits ou services. Le plus grand annonceur de la province est Québecor, grâce à sa domination dans les quotidiens et sur notre petit écran. Le fait d'être propriétaire de TVA, du *Journal de Montréal* et du *Journal de Québec* contribue sans doute à la grande visibilité de ce groupe qui annonce, entre autres, les services de Vidéotron. Québecor est aussi le quatrième annonceur dans les magazines québécois, dont plusieurs sont sous sa dépendance[1].

Le deuxième annonceur le plus visible est le gouvernement du Québec, qui est sans doute l'organisation n'étant pas propriétaire de médias qui investit le plus au Québec. Sur Internet, les marques automobiles règnent avec Ford, Chevrolet et Dodge, toutes trois au palmarès 2012 des annonceurs ayant obtenu le plus de visibilité dans les médias électroniques.

Au troisième rang apparaît Procter and Gamble, le groupe qui détient, entre autres, les marques Pantene, Tide et Always, qui est aussi le deuxième annonceur en télévision et qui domine les magazines avec près de 1 publicité sur 10. Avec tous les produits de consommation courante, les produits alimentaires et les cosmétiques annoncés dans les pages glacées, il n'est pas surprenant de voir Unilever, L'Oréal, Kellogg, Kimberley-Clark, Johnson & Johnson et Kraft caracoler en tête des annonceurs magazine en 2012.

Le commerce de détail est la catégorie la plus active et compte pour quelque 15 % des investissements. La seule autre catégorie qui compte pour plus de 10 % des investissements publicitaires est le secteur automobile. Les télécommunications, avec un peu plus de 3,5 % des impressions totales, représentent la dixième catégorie d'annonceurs. Cependant, avec un nombre limité de marques présentes en publicité, il n'est pas surprenant de voir figurer dans les 10 premières Québecor (Vidéotron), Rogers et BCE (Bell).

1. Guide Médias 2014 – Infopresse.

APPLE

POURQUOI LA POMME EST-ELLE LA MARQUE LA PLUS JALOUSÉE DES PUBLICITAIRES ?

Si vous pouviez être une marque, vous demanderiez à être Apple. Chaque année, la petite pomme se retrouve en tête des marques les plus influentes, les plus *cools,* les plus puissantes. Selon le très influent classement du magazine *Fortune,* elle est « la » marque la plus admirée au monde depuis 2006. La firme de conseil en stratégie de marque Interbrand, qui analyse chaque année les marques les plus puissantes au monde, estime sa valeur à près de 100 milliards de dollars.

Pourquoi Apple ? Au-delà de ses produits, son défunt fondateur Steve Jobs a réussi à exploiter le design, le marketing et la publicité pour créer autour de sa marque une aura presque sacrée. Chacun des lancements de produit (iPhone, iPad, iWatch) est orchestré comme un spectacle, vu par des milliers de fanatiques dans le monde grâce à une diffusion Web en direct, tel un rassemblement sportif. Lors du lancement de l'iPhone 6 en septembre 2014, U2 a d'ailleurs livré une prestation musicale et a officiellement lancé son plus récent album en collaboration avec la plateforme de diffusion musicale d'Apple, iTunes.

Proche des artistes, Apple exploite la musique dans la quasi-totalité de ses publicités.

Côté design, Apple a su faire de chacun de ses produits un objet de convoitise que les consommateurs s'arrachent, en témoignent les longues files devant les magasins lors de la sortie de nouveaux produits ou de la couverture médiatique qui est associée à chaque lancement. Côté pub, on dit d'Apple qu'elle a révolutionné les pratiques publicitaires en créant LE message publicitaire que plusieurs considèrent encore comme la pub la plus marquante de l'histoire : celle de l'introduction du premier ordinateur Macintosh. Ce message mettait en vedette une lanceuse de marteau s'attaquant à un écran montrant Big Brother (en référence au roman *1984,* de George Orwell). La pub se terminait sur la promesse que « 1984 ne sera pas comme *1984* ». La publicité se voulait une métaphore de la libération que proposait la nouvelle interface du Mac dans un monde obscurci par la nécessité de connaître le langage de programmation pour utiliser un PC. Diffusée une seule fois pendant la mi-temps du Super Bowl 1984, elle a été reprise par plusieurs émissions d'information et est demeurée ancrée dans l'imaginaire collectif. La pub emblématique peut encore être visionnée en ligne. C'est cette publicité qui a jeté les bases du langage de communication de la marque, orientée sur la créativité, l'anticonformisme et le dépassement des conventions. C'est cette stratégie qui donna, près de 15 ans plus tard, le célèbre slogan « *Think different* ».

Apple, c'est finalement une technique de marketing qui exploite le filon de la communauté : on vise à vous inculquer un sentiment d'appartenance à un cercle restreint et privilégié. L'expérience en magasin favorise d'ailleurs la rencontre avec les ambassadeurs de la marque (l'atelier de dépannage Bar Genius) et met en scène tous les codes visuels forts de la marque (le verre, le blanc laqué et la pomme).

En bref, c'est la marque que beaucoup de publicitaires et spécialistes de la communication aimeraient pouvoir copier.

TEST

ÊTES-VOUS UN VRAI FANATIQUE D'APPLE ?

1 : En quelle année l'entreprise a-t-elle été créée ?

2 : Combien y a-t-il eu de versions du logo depuis la création de la marque ?

3 : En quelle année est décédé le cofondateur et célèbre porte-parole de l'entreprise, Steve Jobs ?

4 : Quelle célébrité du monde de la peinture a figuré dans la publicité qui a lancé le slogan « *Think different* » ?

5 : Dans une série de messages publicitaires, Apple vise directement un concurrent. Lequel ?

Réponses : 1. En 1976. 2. 5 (Isaac Newton sous un pommier, la pomme arc-en-ciel, la pomme noire, la pomme bleue et la pomme chromée). 3. En 2011. 4. Pablo Picasso. 5. Microsoft, avec le slogan « I'm a Mac. I'm a PC. »

CLIN D'ŒIL

En 1984, le premier Macintosh se vendait 2 500 $. Si, avec cet argent, vous aviez plutôt acheté 2 500 $ d'actions de l'entreprise, votre portefeuille d'Apple s'élèverait aujourd'hui à environ 720 000 $.

ATTAQUE PUBLICITAIRE EN POLITIQUE

EST-CE QUE LANCER DE LA BOUE PEUT VOUS FAIRE GAGNER UNE ÉLECTION ?

Bien des candidats aux élections se promettent de mener une campagne propre et de ne pas attaquer leurs opposants. Habituellement, cet engagement louable fléchit devant l'imminence de la défaite et, vu l'omniprésence des sondages, cette éventualité point de plus en plus tôt dans la campagne. Parfois, on n'attend même pas d'être en campagne. Les attaques du Parti conservateur du Canada lancées contre les différents chefs libéraux en sont un bon exemple : « Stéphane Dion n'est pas un leader », « Michael Ignatieff est un opportuniste » et « Justin Trudeau n'est pas à la hauteur ». Habituellement, la réponse des politiciens visés est de décrier cette forme de communication négative et de demander à l'électorat de sanctionner l'agresseur.

ATTAQUE PUBLICITAIRE EN POLITIQUE

En politique, la tentation est grande de ternir l'image des adversaires. Au mieux, les publicités négatives s'en prennent à leur bilan ou à leurs positions ; au pire, elles s'abaissent à des attaques personnelles qui s'apparentent plus aux querelles de cour d'école qu'aux conférences de presse.

Malgré la réticence des gens à l'égard de la publicité négative, force est d'admettre qu'elle est de plus en plus utilisée. Pendant la course présidentielle américaine de 2000, 30 % des publicités étaient ouvertement négatives. En 2012, la proportion a plus que doublé. Avec un budget atteignant maintenant plus de deux milliards de dollars, ça fait beaucoup de messages négatifs.

EST-CE QUE ÇA FONCTIONNE ?

La peur est un de nos grands moteurs de décision : c'est sans doute pour cela que nous semblons attribuer plus d'importance aux informations négatives. Aussi, les publicités d'attaque sont mieux mémorisées et génèrent des émotions plus fortes que les publicités neutres, et ce, même si nous tentons d'y attribuer moins d'attention. Pour que la publicité négative fonctionne, elle doit toutefois s'ancrer dans une perception défavorable préexistante envers le candidat ciblé. Plus l'attaque renforce cette impression préétablie, plus elle portera. On estime également que la publicité négative fonctionne davantage pour les *challengers* que pour les candidats sortants ou les meneurs évidents. Ces derniers sont jugés plus sévèrement lorsqu'ils lancent de la boue sur leurs opposants. Les candidats peuvent attaquer, mais le civisme le plus élémentaire est attendu de tous. Par exemple, la campagne de Kim Campbell (1993) a essuyé plusieurs critiques pour avoir ridiculisé le handicap de Jean Chrétien. Cet apparent manque de jugement a fait déraper la campagne déjà vacillante des conservateurs et leur défaite a été cinglante.

Ce sont les citoyens les plus politisés ou les plus partisans qui sont les plus tolérants envers la publicité négative. Aussi, les hommes et les jeunes sont plus réceptifs à ce type de tactique. Ce sont donc la pertinence de l'attaque, la civilité des messages et la tolérance de l'électorat visé qui déterminent si la publicité négative peut vraiment contribuer à l'élection d'un candidat.

LA PUB NÉGATIVE ENTRAÎNE-T-ELLE AU CYNISME ?

Plusieurs estiment que la publicité négative décourage les électeurs et contribue à la diminution du taux de participation et au cynisme à l'égard de la politique. D'autres estiment plutôt que la publicité négative présente l'avantage d'informer les électeurs sur la position des candidats par rapport à plusieurs enjeux et de les sensibiliser aux risques associés aux politiques proposées. Les attaques auraient d'ailleurs pour effet de renforcer l'engagement politique des électeurs partisans. Il est maintenant établi que la publicité négative nuit au taux de participation seulement si nous y sommes exposés APRÈS avoir choisi notre candidat et seulement si c'est celui-ci qu'elle attaque.

En somme, la publicité négative minerait notre confiance en nos institutions, mais nous aiderait à faire notre choix à court terme. Inutile de rappeler que les candidats continueront à y recourir dans l'espoir de gagner notre vote, sans trop se soucier de notre inclination au cynisme.

ATTENTION

FAUT-IL CHOQUER POUR ATTIRER L'ATTENTION ET VENDRE ?

Comment oublier les affiches publicitaires de Benetton qui, sous l'œil du photographe Toscani, dénonçaient tantôt la discrimination envers les séropositifs, tantôt le racisme de notre société. Des seins découverts, des scènes de violence, des corps qui s'entremêlent… En publicité, le recours à une émotion franche et directe a pour effet d'attirer l'attention et de fixer le message dans la mémoire. Le choc émotionnel, qu'il émane d'une scène de sexe ou de violence, a un fort pouvoir d'attraction dans une société où nous sommes toujours sollicités par la publicité et sans cesse stimulés par nos écrans.

Depuis toujours, les images que l'on retient le plus, en publicité comme ailleurs, sont des images qui nous touchent, suscitent chez nous une émotion (*voir aussi* Peur). Les images-chocs sont des images qui retiennent l'attention. Ce qui retient l'attention amène plus facilement à reconnaître la marque, et donc éventuellement à l'acheter.

Notre rapport aux images a changé dans les 10 dernières années. Nous sommes bombardés de messages publicitaires, plus seulement à la télévision ou dans les journaux, mais aussi sur le Web, sur nos mobiles, etc. Le Web a multiplié de façon considérable notre exposition aux images. Plus nous voyons d'images, moins nous en retenons, puisque notre cerveau ne peut pas traiter en même temps une trop grande quantité d'informations. Nous ne retenons que ce qui nous intéresse ou nous a marqués.

Avec la multiplication des images, nous avons acquis une forme d'insensibilité et d'indifférence aux messages publicitaires trop banals. Cette désensibilisation aux images force certaines marques à choquer toujours plus pour attirer notre attention.

La marque de vêtement American Apparel a construit son image avec des publicités-chocs, ultra-provocantes, mettant en scène des jeunes femmes dans des poses très suggestives. Elle a aussi utilisé des mannequins transsexuels dans ses publicités. Le tout, évidemment, pour attirer l'attention des consommateurs et des médias. American Apparel a ainsi réussi à créer l'image d'une marque jeune, irrévérencieuse et différente.

Si des images et des situations choquantes ou provocantes peuvent facilement attirer l'attention, elles ne garantissent pas l'achat systématique du produit. Combien d'entre nous ont acheté des vêtements de Benetton après avoir vu l'une de ses publicités ?

Même défi lorsque le gouvernement souhaite faire passer un message sociétal. Les scènes d'accidents violents dans les publicités de sécurité routière sont-elles réellement efficaces ? Au Québec, la Société de l'assurance automobile a misé sur le réalisme, sans exagération. Parce que de nombreuses études démontrent que si nous voyons une scène de violence exagérée, nous nous détachons du message et n'y adhérons pas. Nous avons alors tendance à nous protéger en réduisant notre attention. Au contraire de l'approche québécoise, celle du gouvernement australien a penché vers des publicités d'une rare violence pour sensibiliser aux risques de la route. Deux écoles de pensée qui semblent toutes deux, avec le soutien de la répression policière, améliorer le bilan routier. Le rôle de la publicité sociétale est de cerner un problème et de le soumettre à l'attention du public. Forcément, le message s'en trouve simplifié, parfois éloigné de la réalité. On exagère un accident, on dramatise une situation, on cherche l'émotion la plus forte.

LA PUBLICITÉ-CHOC, EST-CE QUE ÇA FONCTIONNE ?

Les publicités ont pour objectif de marquer nos esprits. En jouant autour des tabous, les marques attirent notre attention. Le choc initial inscrit le logo dans notre esprit, mais la réussite de l'opération dépend de ce que la marque propose alors que les projecteurs sont tournés vers elle. C'est donc dire que la publicité-choc agit comme un amplificateur. Pour une marque, l'utiliser peut se comparer à demander l'attention avec un porte-voix dans un restaurant bondé. Mais une fois que vous avez dérangé tout le monde, vous faites mieux d'avoir quelque chose d'important à dire.

Dans les médias, le sexe, le sang et la mort sont des aimants pour l'attention. Mais l'attention ne fait pas foi de tout. Lorsqu'elle est gagnée, encore faut-il avoir un discours commercial qui incite à l'achat. Sans compter le risque de répercussions négatives sur la réputation de l'entreprise. D'autant que notre capacité de dénoncer le mauvais goût et l'opportunisme est aujourd'hui amplifiée par les réseaux sociaux. Pas surprenant alors que les marques les plus respectées et aimées ont très peu recours aux images-chocs et à la violence.

L'EXEMPLE DE BENETTON : L'EXCEPTION QUI CONFIRME LA RÈGLE

Benetton est une marque intéressante, car elle a été l'une des premières à exploiter des images très fortes. Grâce à Oliviero Toscani, on a pu voir des images de David Kurby, atteint du sida sur son lit de mort, ou, plus récemment, un pape embrassant un imam. Preuve que le choc peut fonctionner, des études révélaient que Benetton était l'une des marques de vêtements les plus reconnues dans le monde, alors même qu'elle ne montrait jamais ses produits. Sans doute parce que Benetton ne cherchait pas seulement à choquer ; derrière ses images, la marque faisait passer de vrais messages.

La campagne *H.I.V. positive* de Benneton en 1993.

BABY-BOOMERS

COMMENT UNE GÉNÉRATION A-T-ELLE CHANGÉ LA CONSOMMATION ?

Au Québec, le baby-boom a commencé dès la fin de la Seconde Guerre mondiale, avec un taux de natalité record qui a surpassé celui des autres sociétés occidentales touchées par cette explosion démographique. Si bien que le Québec est devenu l'une des sociétés les plus jeunes et les plus dynamiques d'Occident dans les années 1960-1970. Cette cohorte est si imposante qu'elle a fait connaître à la consommation une révolution qui n'a rien eu de tranquille.

Elle a été la première génération à grandir dans une culture de la consommation et de la publicité. Elle a aussi été la première à vivre confortablement en recourant au crédit, même pour les biens et services accessoires (voyages, produits de luxe, voitures haut de gamme). Avec tous les nouveaux programmes sociaux, la sécurité d'emploi grandissante et l'omniprésence des fonds de pension, les baby-boomers ont peu économisé, se fiant à l'abondance de leurs revenus. Si bien que plusieurs d'entre eux se voient contraints de rester sur le marché du travail plus longtemps qu'ils ne l'avaient prévu. Sans oublier que le quart d'entre eux envisagent aujourd'hui de ne jamais pouvoir prendre leur retraite.

Aujourd'hui âgés de 50 à 69 ans, les baby-boomers représentent une force économique plus importante que les personnes du même âge dans le passé. Dans les années 1980, les dépenses des ménages âgés de 55 ans et plus représentaient le quart des dépenses totales des particuliers. Aujourd'hui, les dépenses des boomers de la même tranche d'âge atteignent le tiers des dépenses totales.

LES PAPY-BOOMERS ET LES MAMY-BOOMERS?

Première véritable génération de carriéristes et de consommateurs très enclins à l'endettement, les baby-boomers s'accrochent généralement au marché du travail. Aujourd'hui, à l'approche de la retraite (ou nouvellement retraités), ils modifient leur consommation. Leurs activités favorites sont la cuisine, le jardinage et les réceptions à la maison. On observe qu'ils consomment davantage d'aliments santé ou fonctionnels, qu'ils sont de grands acheteurs de suppléments et qu'ils sont beaucoup plus aventureux que leurs parents au même âge. Les ventes de livres de recettes explosent. Ils sont aussi de grands consommateurs de cinéma, de théâtre, de concerts et de musées. Cependant, ils vont encore plus souvent dans les bars et boîtes de nuit que dans les spas ou les concerts de musique classique. Ils font de la marche et de la randonnée, du vélo et de l'exercice à la maison. Bref, ils demeurent actifs et ne veulent pas vieillir.

Leurs revenus ne sont plus en croissance. Ils ont déjà tout acheté, souvent plusieurs fois. Les enfants ont, pour la plupart, quitté la maison. Dans ce contexte, la soif de consommation et de nouveauté fait de plus en plus de place à un mode de consommation plus prudent et plus réfléchi. Et pourtant, ils sont toujours aussi matérialistes : plus de 85 % des baby-boomers québécois estiment que leur situation financière et leur confort matériel sont des éléments déterminants dans leurs prises de décisions.

Toujours aussi fiers, ils cherchent à faire migrer leur « *standing* social » en consommant des biens plus utilitaires. Alors que plusieurs ont vu leurs revenus baisser, la majorité d'entre eux a plus de temps. Leur volonté de léguer aux suivants est plutôt faible : seulement le tiers d'entre eux reconnaissent avoir l'intention de léguer le plus possible à leurs proches (ou à un organisme de charité).

LA VAGUE DU CHANGEMENT

Depuis de nombreuses années, les baby-boomers forment le groupe démographique qui représente le moteur économique du Québec, avec leur pouvoir d'achat qui arrive au premier rang. Avec les retraites et leur éloignement graduel de l'univers de la consommation effrénée, une bonne part de l'attention publicitaire se tournera vers la génération Y qui, en raison de son nombre, va rapidement éclipser la génération X sur le plan économique. Attendons-nous à voir de plus en plus de messages qui s'écartent de la façon de voir des baby-boomers : consommation collaborative, présence de familles non traditionnelles dans les messages, traitement croissant de la diversité, révision du partage des tâches dans les familles.

TEST

Faites le test. Êtes-vous un vrai baby-boomer de la consommation? Les énoncés suivants correspondent-ils à votre cas ?

1. Vous avez au moins trois téléviseurs dans votre maison.

2. Vous préférez une soirée avec des amis à la maison plutôt qu'une sortie au restaurant.

3. Pour choisir la destination de votre prochain voyage, vous appelez votre agence de voyages pour demander conseil.

4. Le matin, vous prenez votre douche avant de regarder vos courriels.

Si au moins trois des quatre énoncés se rapportent à vous, vous êtes sûrement un baby-boomer : vous regrettez le temps où le rythme de la communication était moins haletant et, dès qu'une occasion se présente, vous aimez refaire le monde avec des amis autour d'une bonne bouteille de vin.

BESOIN

LES PUBLICITAIRES NOUS CRÉENT-ILS DES BESOINS ?

Les critiques à l'égard de la publicité sont fréquentes. On entend souvent dire que c'est la pub qui nous pousse à la surconsommation et à l'endettement. Elle nous influence et manipule nos valeurs à notre insu, si bien que nous nous comportons de façon déraisonnable et que nous consommons des biens qui ne nous rendent pas plus heureux. Nous payons trop cher pour une nouvelle télé ou une énième paire de souliers, nous surchargeons notre carte de crédit et achetons des biens peu durables. Et c'est la faute de la pub.

Plusieurs de ces critiques s'élèvent en réaction à ce qui fait la force de la publicité : un pouvoir de stimulation économique et une certaine capacité d'inciter à la consommation. La publicité est le miroir de notre société, une société basée sur une consommation compétitive. Il est difficile de s'abstenir d'acheter un bien quand on voit que les autres le possèdent et l'apprécient. Notre volonté de rattraper les autres consommateurs ou de se distinguer grâce à un nouveau bien, nous pousse à la surconsommation.

À bien y penser, dans la plupart des foyers nord-américains, nous possédons déjà tout ce dont nous avons besoin pour le quotidien :

un logement, des vêtements, de la nourriture. Tout ce que nous achetons, ou presque, émane davantage du profond désir de posséder un produit que d'un véritable besoin. L'exemple parfait : la marque Apple. En lançant un nouveau modèle de téléphone régulièrement, la marque rend « obsolète » la version précédente et la publicité nous donne une envie irrépressible d'acheter la nouvelle. Mais avons-nous vraiment besoin d'un nouveau téléphone cellulaire, surtout lorsque celui que nous avons fonctionne très bien ? Le désir est profondément ancré en chacun de nous. La publicité ne fait que l'animer.

LES ENTREPRISES PLANIFIENT-ELLES L'OBSOLESCENCE ?

Le cycle de remplacement des produits par de nouveaux s'est accéléré. La tentation de remplacer un produit qui fonctionne encore par un nouveau plus moderne avec davantage de fonctionnalités est telle que nous sommes prêts à en payer le prix. Nous n'investirons pas la même somme dans un téléviseur si nous savons que nous le changerons dans deux ans. Et le prix que nous sommes prêts à payer influe directement sur la qualité que nous obtenons. On remarque souvent que les frigos produits aujourd'hui ont une courte durée de vie (environ cinq ans), alors que plusieurs frigos fabriqués dans les années 1980 fonctionnent toujours. Il faut également considérer le coût d'acquisition de ces biens. Dans les années 1950, un réfrigérateur d'entrée de gamme coûtait 250 $, ce qui représente près de 2 500 $ en dollars d'aujourd'hui. Il en va de même pour les laveuses, qui coûtaient quelque 150 $ au milieu du siècle dernier. En dollars constants, c'est 1 500 $ qu'il faudrait aujourd'hui prévoir. Or, en choisissant une laveuse à 1 500 $ et un frigo à 2 500 $, avons-nous aujourd'hui une qualité et une durabilité comparables à celles d'antan ?

ON SE DISTINGUE PAR CE QU'ON ACHÈTE...

Les marques l'ont bien compris, nous avons horreur de paraître dépassés ou pas dans le coup. C'est pourquoi elles s'efforcent toujours de présenter leur produit comme un incontournable, un objet très populaire qui distingue ceux qui sont *cools* ou dans le coup. « Si tout le monde en a un, j'en ai besoin. » Un autre mécanisme employé pour construire cette perception de popularité est le recours à l'endossement (*voir page 196*), que ce soit avec des porte-parole connus du public ou des faire-valoir, que ce soit dans les campagnes publicitaires ou à l'extérieur des médias.

Certaines marques, par exemple, ont réussi à faire adopter leurs produits en les distribuant gratuitement à des leaders d'opinion, ou à des consommateurs qui influencent les autres. C'est pour cette raison que Nike et Adidas rivalisent pour devenir la marque par excellence des équipes de soccer ou des athlètes professionnels. La marque d'instruments de musique Gibson publie sur son site Web une liste d'artistes commandités comprenant plus d'une centaine de noms, dont James Blunt, Amos Lee, Shakira, etc. Et comme nous désirons être aussi bons ou à tout le moins aussi bien outillés que les pros, nous avons souvent « besoin » du tout dernier modèle. Mais, au fond, est-ce sensé de s'équiper comme un champion du monde pour faire de la planche à neige le dimanche après-midi une semaine sur deux ? Et avons-nous vraiment besoin de cette guitare professionnelle coûteuse pour faire des répétitions dans notre garage ?

BIÈRE

POURQUOI TOUTES LES PUBS DE BIÈRES SE RESSEMBLENT-ELLES ?

Il y a bien sûr quelques exceptions, mais de façon générale, les publicités pour les bières sont très similaires d'une marque à l'autre. Il serait même souvent possible d'en intervertir le logo ou le «plan de signature», ce plan au ralenti en fin de publicité, avec de la bière dorée qui coule langoureusement dans un verre tapissé de gouttelettes.

POURQUOI LES MARQUES DE BIÈRES SONT-ELLES SI UNIFORMES ?

La bière est avant tout un univers d'images. Les bières blondes (des grands brasseurs) ont beaucoup de ressemblances et bien peu de consommateurs sont capables de les distinguer à l'aveugle. C'est pourquoi la préférence s'établit sur la base de l'image de marque. Elles rivalisent donc de stratégie pour attirer l'attention et se distinguer. Les premières bières *premium* (plus chères) se sont différenciées en boudant la bouteille brune. Ainsi Heineken et Corona sont perçues au Québec comme des bières haut de gamme, alors qu'elles sont des choix populaires, voire d'entrée de gamme, dans leur pays d'origine. Ces différences en

« MOLSON SALUE LES VRAIS »

« LABATT BLEUE... EST BONNE RARE »

« ON EST SIX MILLIONS,
FAUT SE PARLER »

« BRADOR LA PLUS-QUE-BIÈRE
SIGNÉE MOLSON »

matière d'image servent aux buveurs à se donner celle qu'ils désirent projeter. Il n'est pas rare de voir un même consommateur choisir une Coors Light pour un party, une Budweiser pour un évènement entre gars et une Stella Artois lors d'une première *date*. Ce que nous buvons, c'est l'étiquette. Ce que nous achetons, c'est l'image que le produit donne de nous-mêmes. C'est sans doute pour ces raisons que les marques maison des grandes épiceries (Choix du président, Sans Nom) n'ont jamais réussi à percer le marché de la bière.

Quand le principal argument de vente est l'image, la tentation est forte d'utiliser toutes les techniques de recherche marketing pour éviter de se tromper. Les brasseurs majeurs ont donc le réflexe de multiplier les sondages, groupes de discussion et autres filets de sécurité. Ces techniques sont efficaces pour déceler les gaffes et impairs qui pourraient affaiblir la marque. Toutefois, les consommateurs ont souvent tendance à juger les concepts proposés à la lumière de ce qu'ils connaissent déjà. Il est plus difficile pour les marketeurs de bière de prendre des avenues créatives inédites quand les recherches indiquent que les consommateurs s'attendent aux codes habituels : party, belles filles, gang de gars, sports, etc.

Ce qui est d'autant plus vrai que les grands brasseurs visent tous le même type de consommateur. Puisque nous avons tendance à former notre préférence tôt et à conserver la même marque de bière longtemps, les brasseurs fantasment tous sur les jeunes consommateurs, qu'ils espèrent fidèles au point d'acheter la même bière pour les 50 années à venir. Les publicités de bière ciblent presque toujours une « bibitte » appelée M-LDA-24. Ce nom de code n'est ni plus ni moins que la tranche démographique visée : *Male – Legal Drinking Age – jusqu'à 24 ans.* Bref, on cherche à rejoindre les jeunes hommes dès qu'ils ont l'âge légal de boire (officiellement). Plusieurs surévaluent la consommation de cette tranche d'âge. S'il est vrai que les jeunes hommes sont les consommateurs les plus avides de houblon, il faut cependant prendre en compte les hommes un peu plus vieux, qui ne renoncent pas à siroter une petite blonde sous prétexte qu'ils ont atteint l'âge de la « sagesse » (fixé à 25 ans par plusieurs brasseurs !). C'est vraiment l'espoir de la fidélité à long terme de ces jeunes buveurs qui justifie une cible aussi pointue. De fait, on constate que la consommation globale de bière diminue moins avec l'âge que ce qu'on avait estimé par le passé. C'est plutôt la façon de la consommer qui change. Plusieurs hommes de 45 ans boivent la même quantité de bière que ceux de la jeune vingtaine, seulement leur consommation s'étale sur l'ensemble de la semaine au lieu de se concentrer entre le vendredi soir et la nuit du samedi. Aussi, la consommation des jeunes est généralement plus sociale, elle se passe en public et les jeunes se transforment, dans les bars et les partys, en panneaux publicitaires pour les marques de bières qui réussissent à les séduire. Tant par sa consommation que par l'influence qu'il exerce sur les autres, ce groupe s'avère très rentable pour les brasseurs. Sans oublier que nous sommes tous plus jeunes dans notre tête qu'en réalité, et que les brasseurs peuvent donc cibler des jeunes sans s'aliéner les hommes un peu plus vieux qui aspirent encore à cette jeunesse, voire qui en sont nostalgiques.

LE SAVIEZ-VOUS ?

Les publicités et la promotion de produits alcoolisés sont fortement réglementées au Québec. La Régie des alcools, des courses et des jeux doit approuver tous les messages que les brasseurs désirent mettre en ondes. Les publicités doivent donc toutes se conformer à plusieurs articles du règlement, qui protègent les Québécois mais qui limitent également le territoire créatif. Voici quelques exemples de ce que vous ne pourrez jamais voir à l'écran dans une publicité de bière :

- un mineur ou une mascotte ;
- plus d'une bière par personne ou des bières entamées ;
- quelqu'un en train de boire une bière ;
- quelqu'un qui a bu ;
- des d'univers irréels dont la vision a été déclenchée par la consommation ;
- tout le monde en train de boire ;
- l'accroissement de la performance sportive, de la valorisation, du prestige ou de la réussite par la consommation de bière ;
- la bière comme solution à un problème ou comme aide pour y remédier

Les publicités de bière du Super Bowl, qui rivalisent toutes de créativité, seraient presque toutes refusées au Québec.

BOUCHARD,

JACQUES

QUI EST LE PÈRE DE LA PUBLICITÉ QUÉBÉCOISE ?

« Lui, y connaît ça », « On est six millions, faut se parler », « Mon bikini, ma brosse à dents », « Qu'est-ce qui fait chanter le p'tit Simard », « Pop-sac-à-vie-sau-soc-fi-co-pin », sans oublier « On est 12 012 pour assurer votre confort ». Tous ces slogans ont été créés par Jacques Bouchard, le « père » de la publicité québécoise.

« SOYEZ JEUNES, SOYEZ LIBRES, SOYEZ ÉLECTRIQUES ! »

Slogan de la pub de 1971 d'Hydro-Québec

Jacques Bouchard est sans contredit le premier Québécois à avoir créé de la publicité « *made in Québec* ». Auteur de deux livres phares (*Les 36 cordes sensibles des Québécois,* publié en 1978, et *Les nouvelles cordes sensibles des Québécois,* en 2006), il a grandement influencé l'industrie de la publicité du Québec. Au début de sa carrière, lorsqu'il réalise que les campagnes des grandes marques pour le marché de la Belle Province sont conçues par des bureaux anglophones qui ne comprennent pas les particularités des consommateurs d'ici, il décide d'être le premier à proposer de faire de la publicité qui parle au Québécois. Il fait ressortir les différences culturelles qui séparent les Québécois du reste des Canadiens.

En 1959, il fonde et dirige le Publicité Club de Montréal, organisme destiné à faciliter la carrière des publicitaires québécois, qui lancera de nombreuses initiatives pour l'industrie publicitaire au Québec, dont la remise des prix de la pub, les Coqs, aujourd'hui remplacés par le concours Créa. Il fonde le cours de publicité offert par l'école des HEC et fonde l'agence de publicité BCP, aujourd'hui intégrée à Publicis, et qui sera l'une des premières à créer de grands slogans qui marqueront notre imaginaire.

Les messages publicitaires conçus par Jacques Bouchard ont eu un écho dans la population québécoise parce que, en plus de leur contenu publicitaire, ils reflétaient chacun à leur manière les enjeux sociopolitiques de leur époque et la place du Québec dans le Canada. En 1975, avec « On est six millions, faut se parler », c'est à notre différence québécoise qu'il fait écho, et cette publicité de Labatt 50 devient une forme d'appel au ralliement dans une société en pleine affirmation.

Encore aujourd'hui, l'influence des « cordes sensibles » mises au jour par Jacques Bouchard est palpable dans l'industrie de la publicité et des marques d'ici. Si les consommateurs sont de plus en plus semblables à travers le monde, mondialisation oblige, les différences culturelles des Québécois sont encore souvent exploitées dans les publicités que l'on voit à l'écran. L'humour, notamment, du personnage de Roger le garagiste ou de Martin Matte dans les publicités de Honda est un humour bien d'ici.

Jacques Bouchard a aussi été l'un des premiers à recourir à des célébrités dans ses publicités : Dominique Michel, Olivier Guimond, la famille Simard, etc. D'ailleurs, en entrevue, il parlera abondamment de l'« Olympe québécois » pour qualifier les vedettes québécoises et de leur relation avec les produits de commerce.

QUIZZ

À vous de trouver les marques qui appartiennent à ces slogans créés par Jacques Bouchard.

A. Lui, y connaît ça !

B. Mon bikini, ma brosse à dents.

C. On est six millions, faut s'parler.

D. Qu'est-ce qui fait chanter le p'tit Simard ?

E. Pop-sac-à-vie-sau-sec-fi-co-pin !

F. On est 12 012 pour assurer votre confort.

1. Dominique Michel pour Air Canada (1972).

2. Marie-Josée Taillefer pour Desjardins (1970).

3. Hydro-Québec (1971).

4. Olivier Guimond pour la bière Labatt 50 (1966).

5. Labatt 50 (1975).

6. Laura Secord (1970).

Réponses : A-4, B-1, C-5, D-6, E-2, F-3.

Vous vous intéressez à la vie et à l'influence de Jacques Bouchard ? Sa biographie par Marie-Claude Ducas aux Éditions Québec-Amérique est incontournable !

BOYCOTTAGE

EST-CE QUE NE PLUS ACHETER CERTAINS PRODUITS A UN EFFET SUR LES MARQUES ?

Le 22 janvier 2014, la filiale de Coca-Cola en Espagne annonçait un important « plan social » avec la fermeture de quatre usines et plus d'un millier de licenciements. En plus de la grève et des manifestations, les salariés ont appelé les consommateurs espagnols à ne plus consommer les produits de la marque. Leur slogan : « Si Madrid ne fabrique pas le Coca-Cola, Madrid n'en boit pas. » Selon le journal *El Economista,* dans le centre de l'Espagne, les ventes de la marque ont diminué de moitié par rapport à la même période de l'année précédente. Il s'agirait d'une chute historique du chiffre d'affaires de l'entreprise.

Voilà un exemple qui montre bien que certaines campagnes de boycottage fonctionnent réellement, et que les marques doivent rester à l'écoute de leurs employés et de leurs consommateurs. C'est pourquoi on voit les entreprises accorder une place grandissante à la « marque employeur », c'est-à-dire à l'image de l'entreprise vis-à-vis de ses salariés. Parce que les premiers prescripteurs et porte-parole des entreprises auprès des consommateurs, ce sont les employés.

© Rodrigo Garcia/NurPhoto/NurPhoto/Corbis

14 février 2014. Manifestation à Madrid contre la fermeture de quatre usines de Coca-Cola en Espagne. « Si Madrid ne fabrique pas le Coca-Cola, Madrid n'en boit pas. »

Plus largement, les réseaux sociaux et le Web ont vu naître des contestations de consommateurs qui ont trouvé là une force de frappe pouvant avoir un réel impact sur les marques et les entreprises. Quand, début 2014, l'organisation Greenpeace a accusé la marque de luxe Burberry d'utiliser des substances toxiques dans ses vêtements, plus de 10 000 messages Twitter ont été envoyés en trois jours seulement à la marque de la part de consommateurs mécontents qui lui demandaient d'agir. Et alors que six manifestations s'organisaient dans différentes villes, la marque a immédiatement annoncé la suppression complète de ces substances d'ici 2020.

La communication numérique a donné, dans les dernières années, un réel pouvoir au consommateur. À l'aide d'un message, il peut rassembler autour de lui des milliers de personnes et faire pression sur une multinationale. Les Nike, Coca-Cola ou L'Oréal de ce monde ont toutes des services de veille pour s'assurer de répondre aux consommateurs mécontents et éviter le fameux « effet viral », très nuisible pour leur image. À cause des pétitions en ligne ou des vidéos qui les dénoncent, les entreprises d'aujourd'hui font tout pour améliorer leurs pratiques et éviter la mauvaise presse.

Consommateurs, le pouvoir est entre nos mains !

LE SAVIEZ-VOUS ?

À la suite d'un appel au boycottage de la marque Lego par *Greenpeace,* Lego a récemment mis fin à un partenariat vieux de 50 ans avec la pétrolière Shell. Les consommateurs avaient fait pression sur la marque par l'entremise des réseaux sociaux. Un autre exemple éloquent du pouvoir grandissant des consommateurs.

CAMPAGNE TWEET-ECTORALE

PEUT-ON FAIRE DE LA POLITIQUE EN 140 CARACTÈRES?

« Quatre ans de plus » : c'est le message que Barack Obama a envoyé sur Twitter au lendemain de sa réélection le 6 novembre 2012. Accompagné d'une photo de lui avec sa femme Michelle, ce message est devenu, à ce moment, le plus partagé de l'histoire de Twitter... Il a été depuis dépassé par le selfie de Ellen DeGeneres.

Depuis l'élection de Barack Obama en 2008, tout l'univers politique se demande comment profiter des médias sociaux pour créer un mouvement populaire de communication qui fera élire leur candidat. On sait que la participation des jeunes et leur appui à Obama a été un facteur décisif dans son accès à la Maison-Blanche. Et l'utilisation des médias sociaux, au sein de sa stratégie de communication, y a été pour beaucoup.

Si la plupart d'entre nous sont actifs sur Facebook, l'univers politique carbure plutôt à Twitter. Pourquoi ? Premièrement, la plupart des partis y voient l'occasion de communiquer directement avec les électeurs sans passer par le filtre des journalistes et des médias.

CAMPAGNE TWEET-ECTORALE

000054

Ils profitent aussi de ce contact direct pour tenter de mobiliser les partisans, leur demandant souvent de véhiculer une information, de signer une pétition, de participer à un évènement ou encore de faire un don à leur campagne. Toutefois, plusieurs politiciens s'arrêtent là et n'exploitent pas toutes les possibilités de Twitter. Plutôt que de s'en servir comme un instrument de dialogue, ils y voient un nouveau fil de presse. D'ailleurs, cette crainte de la rétroaction pousse plusieurs d'entre eux à ne pas s'abonner réciproquement (*follow back*) aux personnes qui les suivent. C'est le cas de Stephen Harper, qui a 755 000 abonnés à son compte anglophone et 18 600 à celui en français (2015). En contrepartie, le premier ministre suit près de 250 personnes pour chacun de ses comptes (décembre 2014).

De l'autre côté du spectre, le maire de Montréal, Denis Coderre, est suivi par plus de 192 000 personnes et utilise Twitter pour garder un contact continu avec la population (2015). Il y est très actif, réagissant régulièrement aux interpellations, commentant l'actualité et demandant même parfois le renvoi de joueurs du CH au Club-école. En plus d'être vu comme un politicien accessible et près des gens, il peut concrètement (et de façon visible) intervenir dans plusieurs dossiers et le faire savoir. Une campagne de communication en continu.

Twitter fait maintenant partie intégrante des campagnes électorales. Plusieurs candidats engagent des spécialistes des médias sociaux parce que les réactions sur Twitter de la part des citoyens comme des journalistes représentent souvent un indicateur de bonne (ou mauvaise) réception d'un message. Par exemple, pendant la campagne présidentielle 2012, l'équipe Obama a modifié sa stratégie pour le deuxième débat et a voulu que le président soit davantage «offensif» dans la discussion. On peut voir là une volonté d'occuper rapidement la twittosphère et d'influencer les nombreux auditeurs qui suivent simultanément la campagne à la télévision et sur Twitter[1].

L'INFLUENCE DES MÉDIAS SOCIAUX POUR LES PARTISANS : LA POLARISATION

Comme nous avons tendance à être principalement connectés avec des gens de même allégeance que nous, les médias sociaux amènent un effet de polarisation. Ce courant vers des positions plus affirmées était bien visible au Québec pendant le conflit étudiant du printemps 2012, alors que les tenants des deux côtés croyaient l'opinion publique largement favorable à leur position. Tout cela est bien normal : si nous lisons des dizaines de commentaires favorables à notre opinion tous les jours sur les médias sociaux, il est tentant de croire que notre opinion est représentative de la croyance populaire. Cette polarisation n'a été qu'amplifiée par Facebook et Twitter, puisque nous avions déjà antérieurement cette tendance à choisir nos sources d'information en fonction de nos allégeances.

Une expérience conduite[2] par Facebook a par ailleurs démontré que l'activité électorale est contagieuse : savoir que notre ami est allé voter nous incite à faire de même. Étant donné le faible taux de participation électorale des 18-34 ans et sachant qu'ils sont très présents sur les médiaux sociaux, ce nouveau type de communication peut-il en faire des citoyens plus politisés et plus participatifs ?

LE SAVIEZ-VOUS ?

Avec plus de 57 millions d'abonnés (2015), le compte Twitter de Barack Obama est l'un des plus suivis au monde. Il a pourtant admis en 2009 ne pas être l'auteur des messages (gazouillis) apparaissant sur son compte Twitter. Ce n'est qu'en 2011 qu'il a commencé à écrire lui-même certains messages, qui sont signés « – BO. ».

1. Richard Wolffe, *The Message – The Reselling of President Obama*, Twelve/Hachette Book Group, 2013.
2. Robert M. Bond et coll., "A 61-million-person Experiment in Social Influence and Political Mobilization", *Nature* (sept. 2012).

CHARITÉ

LES MARQUES CHARITABLES LE SONT-ELLES POUR LES BONNES RAISONS ?

Dans son livre *Who Cares Wins : Why Good Business is Better Business*, édité par le *Financial Times,* David Jones, le président du groupe publicitaire mondial Havas, avance que les entreprises qui seront les plus profitables seront celles qui offriront « du lien plus que du bien ». Entendre ici : les entreprises qui redonneront à la société seront celles qui demeureront dans les bonnes grâces de leurs clients, à la recherche de sens dans leur consommation.

Il ne suffit plus de s'associer à des causes pour améliorer son image, aujourd'hui les marques mettent en marché des produits conçus en fonction de la « stratégie du don ». La marque de chaussures TOMS remet une paire de chaussures à un enfant dans le besoin pour chaque paire vendue. C'est un exemple de marque charitable qui redonne à la société et espère en retour que les consommateurs achètent ses produits.

Coca-Cola a lancé en 2014 une nouvelle marque d'eau embouteillée en Chine. Le produit, appelé Ice Dew Chun Yue, a une particularité : c'est une marque sociale axée sur l'accès à l'eau potable dans les zones rurales. La bouteille s'appelle Pure Joy,

«Joie Pure», et Coca-Cola soutient qu'une partie des ventes de ce nouveau produit aidera à financer des projets d'accès à l'eau potable dans les écoles rurales. Il s'agit d'un défi important en Chine, parce que la pollution rend l'eau insalubre. Même si le marché des bouteilles d'eau a augmenté de 86% en Chine de 2008 à 2013, certains n'y ont pas encore accès. Chaque bouteille de Pure Joy permet à l'ONG One Fondation de récolter des fonds pour venir en aide aux écoles des campagnes les plus touchées par le manque d'accès à l'eau potable.

Ce produit soulève une question: Coke peut-elle lancer un produit dit social sans paraître opportuniste? Comme le but évident de la marque Coca-Cola est de faire de l'argent et de séduire une nouvelle génération de consommateurs qui recherchent des marques davantage au service de la communauté, le marketing «charitable» sera mal reçu si les gestes ne dépassent pas l'effet d'annonce. Pour profiter de son engagement social, une marque doit mener des actions concrètes, poser des gestes sur le terrain ou permettre à des organismes de le faire en son nom.

Les marques qui se démarqueront seront celles qui appliqueront vraiment, et sur le long terme, leurs principes sociaux et environnementaux. La marque de vêtements Patagonia a intégré au cœur même de sa raison sociale la volonté de faire passer le bien de la société et de ses clients et employés avant celui des investisseurs, vision particulièrement nouvelle qui pourrait bien inspirer de plus en plus d'entreprises dans les prochaines années. Conformément à sa philosophie, Patagonia a sauté le pas dès 1996 en optant pour les cotons biologiques, sans pesticides. Autre exemple, la marque, consciente de l'impact de notre consommation effrénée, a profité du Black Friday de 2011 pour publier «*Don't Buy this Jacket*», publicité enjoignant ses consommateurs à «n'acheter ce vêtement que s'ils en avaient vraiment besoin». Pendant les deux années qui ont suivi ce plaidoyer pour une consommation plus modeste, les ventes de l'entreprise ont connu une croissance annuelle de près de 38 %[1]. En bref, Patagonia considère comme inhérente à son modèle d'entreprise son aspiration à proposer et à appliquer des solutions à la crise environnementale, tout en demeurant profitable pour continuer sa mission.

QUIZZ

Quelle cause ces marques soutiennent-elles ?

A. Bell

B. CIBC–Telus–Ultramar

C. McDonald's

1. La prévention du cancer du sein

2. La santé mentale

3. L'assistance aux enfants malades

Réponses : A-2, B-1, C-3.

1. www.businessweek.com/articles/2013-09-25/why-patagonia-wants-to-sell-you-ratty-old-swim-trunks.

COMMUNICATION SOCIÉTALE

POURQUOI LES GRANDS ENJEUX DE SOCIÉTÉ ONT-ILS BESOIN DE PUBLICITÉ ?

« L'amour, ça se protège », une publicité de 1987 mettant en vedette Marie-Soleil Tougas, a fait grand bruit au Québec. C'était l'une des premières fois qu'on abordait la maladie et le condom à une heure de grande écoute. Les années qui ont suivi ont été marquées par des campagnes du ministère des Services sociaux du Québec, qui avaient pour but de sensibiliser à l'importance du VIH-sida. Sans ces campagnes-chocs, serions-nous aussi conscients de l'importance du condom dans la lutte au VIH ?

Quand on parle de publicité, on pense souvent aux produits que l'on essaie de nous vendre, mais la pub touche d'importants enjeux de société. Sida, cancer, violence conjugale, suicide, conduite avec facultés affaiblies : dans bien des cas, la communication est une façon de parler d'un sujet tabou, d'attirer l'attention sur un problème social et de susciter un changement de comportement.

En 1988, le gouvernement du Québec mettait en ondes la publicité « Après les coups », qui montrait un homme brutalisant sa

COMMUNICATION SOCIÉTALE

femme. La publicité, réalisée par Jean-Claude Lauzon, avec ses images dures sur une ballade de Marjo, a fait exploser les services téléphoniques d'aide mis en place. Cette prise de position du gouvernement par une publicité sensible a permis de briser un tabou et de soulever l'importante question de la violence conjugale au sein de la population québécoise. En 30 ans, ce type de violence est passé d'un enjeu considéré comme privé à une affaire publique, et la communication a été un outil important dans cette transformation sociale.

Et la lutte contre la drogue ? Le tabac ? Le jeu compulsif ? Autant de problèmes auxquels la pub a donné une voix, au Québec comme ailleurs dans le monde. Mais attention, ne nous méprenons pas : la pub et la communication changent rarement les comportements à elles seules. Elles sont un outil pour dire les choses, mais doivent être jumelées à des actions concrètes. Par exemple, l'amélioration du bilan routier au Québec dans les 30 dernières années n'est pas seulement attribuable à la communication : la répression policière et les politiques gouvernementales ont permis de poser les bases d'un consensus social autour de la ceinture de sécurité, l'alcool au volant, la vitesse, les textos, etc.

Aujourd'hui, la concurrence entre les causes est grande. Chacune, aussi importante soit-elle, se bat pour une présence médiatique. Toutes les organisations, et particulièrement celles qui souhaitent amasser de l'argent, rivalisent d'ingéniosité pour nous inciter à donner. À l'heure des médias sociaux, notre attention est parfois faible. C'est pourquoi, tout au long de l'année, on voit éclore des « épiphénomènes viraux » comme le #icebucketchallgence (le défi du seau d'eau glacée pour la recherche pour la SLA), Movember (le défi de la moustache au profit de la lutte contre le cancer de la prostate) ou le défi des têtes rasées (au profit de Leucan). Ces stratégies marketing permettent d'attirer l'attention, de faire passer un message et, si tout fonctionne comme prévu, d'amasser des dons.

Un autre phénomène a pris de l'ampleur dans les 10 dernières années : l'association de marques à des causes. Une entreprise de cosmétique qui soutient le cancer du sein, une autre qui défend les droits des femmes, une autre encore qui lutte contre le décrochage scolaire. Pourquoi cet amalgame entre des réalités qui *a priori* n'ont rien en commun ? Dans le jargon du marketing, on appelle cela le « partage de valeurs » : comme le cancer du sein touche les femmes et leur apparence physique, une marque de cosmétique pourra en tirer profit en contribuant financièrement à la cause. C'est l'une des raisons qui ont poussé Estée Lauder à devenir la première marque de cosmétiques associée au cancer du sein et à mettre le célèbre ruban rose au cœur de sa communication. Le résultat ? La cause obtient un partenariat lucratif grâce à une entreprise qui y contribue en argent et en visibilité. De son côté, la marque obtient ainsi un positionnement de générosité auprès de sa cible et une image proche de son public. Toutefois, ce type de partenariat, parfois poussé à la limite du raisonnable (des « rubans roses » estampillés sur des produits et qui servent davantage à promouvoir ces derniers qu'à verser de l'argent à la cause), a jeté un voile de doute sur certaines associations et a valu à des entreprises d'être taxées de pures opportunistes mercantiles. Dans le cas du cancer du sein, certaines se sont vues accusées de se livrer au « *pinkwashing* ». Dans la charité, tout est une question de mesure.

À VOIR SUR LE SUJET

Si vous vous intéressez à la communication sociétale, la série documentaire *30 secondes pour changer le monde,* diffusée à l'automne 2013 sur les ondes de Télé-Québec, est accessible au www.30secondespourchangerlemonde.telequebec.tv.

QUIZZ

À quelle cause associez-vous les rubans suivants :

A. Ruban rose

B. Ruban rouge

C. Ruban vert et blanc

D. Ruban blanc

E. Ruban jaune

F. Ruban casse-tête

G. Ruban de denim

H. Ruban or

1. Persévérance scolaire

2. Autisme

3. Cancer du sein

4. Paix

5. Soutien des troupes et des militaires

6. Cancer infantile

7. Cancer du poumon

8. Lutte contre VIH-sida

Réponses : A-3, B-8, C-1, D-7, E-5, F-6, G-4, H-6.

COMPARAISON

(PUBLICITÉ COMPARATIVE)

POURQUOI LES MARQUES UTILISENT-ELLES UN LANGAGE GUERRIER POUR VENDRE ?

« Mon produit est meilleur que le tien, plus efficace, moins cher, plus durable. » On voit et on entend souvent en publicité des comparaisons entre les marques et les produits. Si la comparaison se rend jusqu'au petit écran, en coulisses, c'est le langage guerrier qui prévaut. Les experts parlent de « mener une offensive publicitaire », de « gagner des parts », de « rejoindre une cible » et de « conquérir de nouveaux marchés ». Il y a même le « marketing d'embuscade », les « offensives guérilla », les « communications défensives », etc.

La plupart des marques qui attaquent leur concurrent sont plus petites, elles prennent alors le rôle du *challenger*, de celle qui met l'autre au défi. Pepsi a diffusé plusieurs messages d'attaque directe à Coca-Cola. Sans oublier la récente campagne de Apple « *I'm a Mac* ». Sur fond blanc et pendant trente secondes, un jeune Américain se présente devant la caméra : « Bonjour, je suis un Mac. » À côté de lui se présente un second personnage, habillé en complet-cravate, qui nous dit : « Et moi un PC. » Une discussion entre ces deux personnages met en lumière le côté simple, efficace et créatif du Mac, critiquant au passage les caractéristiques du PC. Cette campagne internationale, Apple l'a lancée en 2006 avec un but avoué : faire la guerre au marché des ordinateurs PC ou IBM.

Parfois, la guerre est autant entretenue par les consommateurs que par les marques. C'est le cas de certaines marques de voiture de luxe (on est BMW ou Mercedes), de marques d'équipement photo (Canon versus Nikon), etc. Plus près du quotidien, signalons cette petite guerre entre les détenteurs de iPhone et les propriétaires de BlackBerry, d'abord indirectement provoquée par les marques elles-mêmes (Apple vend un iPhone simple d'utilisation et ludique alors que BlackBerry met de l'avant les qualités « professionnelles » de son téléphone). D'un côté les *geeks* et les créatifs, de l'autre les professionnels sérieux. Il est très important pour une marque d'établir sa différence par rapport aux concurrents, surtout dans des secteurs peu différenciés comme la téléphonie, les boissons, la technologie.

UNE MARQUE PEUT ENTRER EN « GUERRE » COMPARATIVE DE PLUSIEURS FAÇONS :

- **Frontalement,** comme Mac versus PC, ou Coke versus Pepsi.
- **Subtilement,** comme le fait Dove (Unilever) en opposition à la stratégie du groupe L'Oréal. D'un côté Dove prône la diversité et la vraie beauté, de l'autre, L'Oréal vend le *glamour* et la beauté magnifiée.
- **En embuscade,** carrément illégalement, le marketing d'embuscade est une pratique qui vise à rendre visible une marque lors d'un grand événement (sportif ou culturel) sans avoir dûment payé ses droits de commanditaire officiel. Particulièrement utilisé lors de la Coupe du monde de soccer ou des Jeux olympiques, le marketing d'embuscade est pratiqué par des grandes marques comme Nike et Heineken, mais aussi par de petites marques qui cherchent à se faire connaître.

LE SAVIEZ-VOUS ?

Lors de la Coupe du monde de soccer au Brésil en 2014, Adidas était le commanditaire officiel et, en tant que tel, il détenait le droit exclusif d'employer les mots « Coupe du Monde » et « FIFA » pour faire la promotion de sa marque dans le cadre de l'événement. Ajoutons qu'Adidas possède la plus grosse part de marché dans la vente de produits de soccer, avec 2,4 milliards de dollars de vente en 2013 contre 1,9 milliard pour Nike. Nike n'avait pas le droit d'utiliser l'image de la Coupe du monde, mais rien ne l'empêchait de mettre en ligne une vidéo publicitaire de cinq minutes se déroulant dans l'univers du soccer. Avec la puissance du Web, cette technique d'embuscade a été payante : la vidéo a été vu 240 millions de fois, plus que l'ensemble de la campagne Adidas pendant la Coupe. Mieux encore, selon un sondage réalisé tout juste après l'événement, 40 % des personnes interrogées pensaient que Nike était un partenaire officiel de la Coupe du monde.

Sur son site Internet, la FIFA, fédération internationale de soccer, avance que ce marketing illégal menace la viabilité de la Coupe du monde, les commandites comptant pour une part importante des revenus de l'évènement : près de quatre milliards de dollars.

Imaginez si Adidas décidait de ne pas revenir l'année suivante !

CONSOMMATEUR

QUEL TYPE DE CONSOMMATEUR ÊTES-VOUS ?

Tous les consommateurs ne se ressemblent pas. Pour mieux comprendre quoi vendre à qui, les entreprises et les publicitaires se penchent souvent sur ce que l'on appelle « la cible » : quels sont le style de vie de tel ou tel type de clientèle, ses aspirations, les déclencheurs de ses achats, etc. À partir de ce portrait-robot, les marques choisissent quoi proposer à qui.

Il existe de nombreuses typologies de consommateurs, souvent complexes. Aucune n'est fondée sur une science exacte. Mais le cabinet SoonSoonSoon et l'institut Opinion Way ont mené une étude avec une quinzaine de spécialistes dans quinze pays différents pour tenter de faire des regroupements de consommateurs plus sensibles au style de consommation qu'à la situation géographique. Même si l'exercice n'a pas été exhaustif, cinq grands profils de consommateurs en ont émergé. Vous reconnaîtrez-vous dans l'un d'entre eux ?

TEST

QUEL TYPE DE CONSOMMATEUR ÊTES-VOUS ?

Entourez les réponses qui vous correspondent le plus, une réponse par bloc :

1. Pour vous, la qualité d'un produit est essentielle.
2. Ce qui vous séduit le plus ? L'origine d'un produit.
3. Ce qui vous motive lors d'un achat ? L'aspect innovant du produit.
4. Vous allez être attiré vers un produit qui vous promet un effet « waouh ».
5. Vous achetez parce que vous avez un besoin et non une envie.

1. Avant d'acheter un produit, vous regardez toujours sa composition sur l'étiquette.
2. Vous croyez au commerce de proximité, vous faites preuve d'empathie vis-à-vis des petits producteurs et vous fondez vos achats sur certains principes : pas de produits fabriqués en Chine, pas d'OGM…
3. Vous êtes ultra-connecté : vous êtes sur les réseaux sociaux en permanence, vous aimez partager vos coups de cœur sur Internet.
4. Vous aimez le plaisir immédiat que vous procure l'achat d'un produit.
5. Vous faites rarement du magasinage.

1. Quand vous faites un achat, vous êtes du genre à partager vos impressions sur le produit avec vos amis sur des forums ou des sites de type Trip Advisor.
2. Vous utilisez fréquemment des sites de partage de biens et services (Bixi, Communauto, Airbnb).
3. Vous aimez être le premier à essayer un nouveau produit.
4. Vous appréciez les marques qui vous font découvrir de nouvelles choses.
5. Votre devise : moins, c'est mieux !

1. Vous prêtez une attention particulière à la connaissance d'un produit, à la sécurité, à la protection de votre vie privée et au respect de la tradition (recette, style, etc.).
2. Pour vous, l'acte de consommer est aussi une façon d'affirmer votre appartenance à une communauté.
3. Vous aimez conseiller vos amis sur les achats à faire ou à ne pas faire.
4. Vous aimez les marques qui vous surprennent.
5. Vous aimez fabriquer vous-même vos produits, récupérer le plus possible.

RÉSULTATS

Vous avez un maximum de réponses 1 ?

Vous êtes un vigi-consommateur : vous êtes vigilant, attentif et vous voulez vous assurer que les marques seront sincères et honnêtes. Les informations fournies sur l'emballage ou les publicités sont-elles bien conformes à la réalité du produit ? Vous bâtissez votre perception à coups de vérifications. La confiance, pour vous, est le facteur le plus déterminant de vos achats.

Vous avez un maximum de réponses 2 ?

Vous êtes un « *slow*-consommateur » : vous êtes amoureux des petits producteurs, vous vous impliquez dans le choix de produits responsables qui préservent l'économie locale. L'environnement vous tient à cœur et vous soutenez les marques qui y apportent une attention particulière.

Vous avez un maximum de réponses 3 ?

Vous êtes un consommateur influenceur : vous voulez être un expert dans votre segment préféré. Quand il est question de « votre » industrie, votre entourage se fie à vous. Vous êtes un pro et pouvez donner des conseils. Chaque produit que vous consommez devient une histoire à raconter. Vous êtes à l'aise avec l'idée d'exercer une influence sur la consommation des autres.

Vous avez un maximum de réponses 4 ?

Vous êtes un consommateur émotif : vous voulez vivre un moment intense et inoubliable lorsque vous achetez quelque chose. Vous voyez dans votre consommation une occasion de plaisir et d'expérience inédite, riche en émotions. Pour vous, acheter est une expérience.

Vous avez un maximum de réponses 5 ?

Vous êtes un consommateur alternatif : vous êtes un adepte du « *do it yourself* ». Vous voulez échapper à la consommation de masse et vous voyez dans la consommation collaborative (*voir page* 73) un mode de vie à part entière.

CONSOMMATION

OÙ VA VOTRE ARGENT ?

En moyenne, les ménages québécois dépensent près de 50 000 $ (en 2012) par année en biens et services de consommation courante. Plus de 60 % de ces dépenses vont à l'alimentation, au logement et au transport[1].

LA VIE COÛTE-T-ELLE PLUS CHER QU'AVANT ?

Il y a un peu plus de 10 ans, les dépenses moyennes des ménages se chiffraient à 36 000 $ (chiffre de 2002). En tenant compte de l'inflation, il s'agit d'une augmentation de plus de 10 %, surtout dédiée au logement et au transport, qui ont représenté la part essentielle de l'augmentation, avec 70 % du surplus. Le logement compte pour le quart de nos dépenses et le transport, qui a beaucoup progressé, représente aujourd'hui près de 20 % de notre budget.

QU'EST-CE QUE LES QUÉBÉCOIS COUPENT ?

Avec le coût croissant du logement et du transport, les Québécois coupent dans les loisirs, l'alimentation, le tabac et les produits alcoolisés. L'impôt personnel aussi diminue : nous avons payé 10 % moins d'impôt (en dollars constants) en 2012 qu'en 2002.

Nous investissons un peu plus dans nos assurances individuelles et nos cotisations de retraite avec une progression de 12,5 %, ou 450 $, depuis 10 ans.

QUAND ON SE COMPARE...

Les Québécois sont les Canadiens qui ont les dépenses personnelles les plus faibles. Pourtant, nous dépensons autant que les autres Canadiens en alimentation, ce qui veut dire que nous consacrons une part plus importante de notre portefeuille à nous nourrir. Nous dépensons aussi davantage en santé et moins en logement. Avec 5 % de nos dépenses qui vont aux loisirs, nous y investissons une part plus importante de notre portefeuille que le reste du pays. Bref, notre portefeuille semble un peu plus ludique et épicurien que celui des autres Canadiens.

LE SAVIEZ-VOUS ?

En dix ans, les Québécois ont diminué de plus de 25 % leurs dépenses en tabac et en alcool. Représentant 4,3 % des dépenses en 2002, la cigarette et la bouteille ne représentent plus que 2,8 % du portefeuille québécois.

1. *Enquête sur les dépenses des ménages*, 2012, Statistique Canada.

CONSOMMATION COLLABORATIVE

UTILISER PLUS, POSSÉDER MOINS : LA NOUVELLE FAÇON DE CONSOMMER ?

Depuis quelques années, les entreprises de partage sont en vogue. Vélos en libre-service, partages d'auto, échanges de maison pour les vacances, prêts d'outils de rénovation, applications de taxi à partager. C'est ce que l'on appelle la consommation collaborative. Ce phénomène, qui a pris de l'ampleur avec l'émergence du Web et des réseaux sociaux, répond à des besoins de moins en moins marginaux : dépenser moins, réduire notre impact sur l'environnement et s'entraider entre consommateurs consciencieux.

Selon une étude internationale menée en 2014 par les groupes de communication BETC et Havas Worldwide, 56 % des consommateurs dans le monde croient que le modèle économique capitaliste de leur pays ne fonctionne plus en raison d'une consommation privée de sens. Surconsommation, recherche du profit à tout prix au détriment de la qualité ou du respect du consommateur... Pour les deux tiers des personnes interrogées, il serait temps de consommer mieux et moins.

CONSOMMATION COLLABORATIVE

De simples consommateurs, nous sommes devenus aujourd'hui des « prosommateur » (ou *prosumers* en anglais, mot-valise issu de la contraction de « producteur professionnel » et de « consommateur »). En d'autres mots, nous sommes de plus en plus producteurs de notre propre consommation : nous participons à la conception, à la distribution ou à la communication des produits que nous consommons.

Les consommateurs s'organisent entre eux pour se fournir mutuellement une panoplie de biens et services. Le site Airbnb permet à des propriétaires de louer leur logement pour une courte durée. Ce type d'opération devient une concurrence directe pour les groupes hôteliers, qui peuvent difficilement concurrencer avec un modèle aussi souple, comprenant moins d'intermédiaires et offrant par conséquent des gîtes moins chers.

Pensons-y, chacun de nous est assis sur un potentiel économique inutilisé. Nous possédons dans nos maisons de nombreux biens que nous n'utilisons pas à temps plein. Une voiture, une chambre, des objets, etc., autant de biens que nous pouvons louer ou prêter à des gens qui pourraient s'en servir sans en devenir propriétaire. En plus du gain économique, nous poserions un geste environnemental et social. Attrayant, non ? C'est pourquoi les sites de « troc » et d'échange ont pris tant de place dans les dernières années.

Ce mode de consommation est particulièrement prisé par les plus jeunes, par la génération Y. Pour les 18-30 ans, l'utilisation d'un bien de consommation est plus importante que sa possession. Sans doute parce qu'ils ont vu leurs parents se priver pour pouvoir s'acheter des biens qui ne leur servent guère, la nouvelle génération de consommateurs préfère utiliser des produits sans forcément les acheter.

On estime que cette économie représente aujourd'hui plus de trois milliards de dollars dans le monde et qu'elle a connu une croissance de 25 % en 2013. Bref, c'est une toute nouvelle ère économique qui se met en place.

L'AVOCAT DU DIABLE

Si l'économie du partage et la consommation collaborative sont de plus en plus importantes dans notre société, plusieurs économistes en appellent cependant à la vigilance. Robert Reich, professeur à l'université de Berkeley en Californie et ancien secrétaire au travail de Bill Clinton a même renommé l'économie de partage, « économie de partage des restes ». Selon lui, les modèles collaboratifs actuels (Airbnb ou Uber) ne permettent pas un partage équitable des revenus des travailleurs. Avec des valorisations de plus de 10 milliards de dollars américains, Airbnb et Uber sont devenues des multinationales qui empochent le gros des profits. Selon Robert Reich et plusieurs voix dissonantes, il est grand temps de se questionner collectivement sur l'impact de notre consommation sur l'économie dans laquelle nous vivons.

QUIZZ

Quels biens les entreprises suivantes vous proposent-elles de partager ?

A. Car2Go	**1.** Vélo
B. Airbnb	**2.** Voiture libre-service
C. Bixi	**3.** Appartement ou maison
D. DogVacay	**4.** Gardiennage de chien
E. Fon	**5.** Accès Internet WiFi

Réponses : A-2, B-3, C-1, D-4, E-5.

COULEURS

LES COULEURS INFLUENCENT-ELLES NOS DÉCISIONS D'ACHAT ?

Le rouge est-il toujours associé au désir? Le bleu exprime-t-il la douceur? Le jaune est-il trop agressif? Quand vient le temps de concevoir un emballage, les publicitaires et les spécialistes des marques se penchent sur la signification des couleurs en raison de l'importance de leurs effets sur notre perception des produits.

Avez-vous déjà remarqué que les boîtes de détergent à lessive ont toutes sensiblement les mêmes codes de couleurs? Une dominance de bleu pour la fraîcheur, un soupçon de rouge pour l'efficacité et du vert pour l'image environnementaliste. Une étude du géant de la lessive Procter et Gamble a d'ailleurs démontré que les couleurs ont une influence sur notre perception de l'efficacité du produit. Procter et Gamble a testé auprès de plusieurs groupes de consommateurs trois détergents ayant les mêmes caractéristiques, mais auxquels on avait ajouté des pastilles de couleurs différentes : une première lessive contenait des particules rouges, la seconde, des bleues et la dernière, des jaunes. Les consommateurs interrogés ont déclaré que la lessive avec des particules rouges était trop agressive pour le linge, que celle avec des bleues lavait mieux et laissait une impression de fraîcheur, tandis que celle contenant des particules jaunes n'était pas efficace. Tout cela alors qu'il s'agissait exactement du même produit !

En marketing, les couleurs foncées donnent une image de sérieux et de qualité, alors que les couleurs claires évoquent l'accessibilité et la vulnérabilité. Les produits de luxe, par exemple, utilisent du noir ou des couleurs riches, alors que les marques de shampoings optent plutôt pour des couleurs claires, pastel.

Certaines marques essaient à tout prix d'associer leurs produits à une couleur : le Coca-cola, c'est rouge ; le Pepsi, c'est bleu. Et Bell ? Gap ? Tide ? Danone ? Nos yeux reconnaissent, bien sûr, les logos, mais les couleurs ont un effet sur notre rapidité à leur associer un produit. Vous ne verrez jamais de bleu dans les publicités de Coca-Cola !

Même en politique, la couleur agit sur notre perception des leaders : le rouge, particulièrement prisé par la famille Obama dans ses apparitions publiques, symbolise la force et la puissance. Une femme et

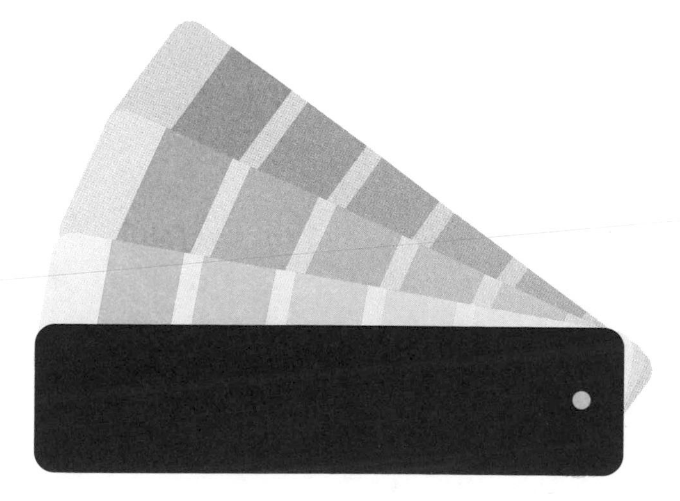

un homme habillés en rouge laissent-ils la même impression sur nous ? Les publicités de sous-vêtements répondent à la question : une femme habillée en rouge évoquera le désir, alors qu'un homme habillé en rouge sera bien souvent représenté dans une position de puissance, notamment dans le contexte des sports…

POUR EN SAVOIR PLUS

Le designer coloriste Jean-Gabriel Causse analyse, dans son livre *L'étonnant pouvoir des couleurs,* aux éditions Édito, l'influence de la couleur sur nos vies. De la consommation à la santé, un livre fascinant à lire.

QUIZZ

Quelle est la couleur associée à ces marques ?

A. Tide

B. Bell

C. Pepsi

D. Danone

E. Telus

Réponses : A-orange, B-bleu, C-bleu, D-bleu, E-vert.

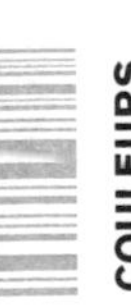

COÛT

COMBIEN COÛTE UNE PUBLICITÉ ?

C'est une question qui revient souvent. La meilleure façon d'y répondre, c'est de le faire par une autre question : « Combien ça coûte, une maison ? » Eh bien, tout dépend de la maison que l'on veut. Il en est de même pour une campagne de pub : tout dépend de l'objectif de la campagne, de la clientèle visée, de la notoriété de la marque, de la vigueur des concurrents, etc. Ces facteurs et plusieurs autres influent sur le choix des médias, mais aussi des messages.

Le coût d'une campagne de publicité se répartit de la façon suivante : d'un côté, la conception et la production du message, de l'autre, le placement média (le prix payé pour que la publicité soit diffusée). Il s'est dépensé plus de 2,7 milliards de dollars en publicité au Québec en 2012. Et ce chiffre comprend uniquement l'achat média, c'est-à-dire qu'il ne prend pas en compte les frais de production des messages publicitaires et les honoraires des agences. De ce nombre, plus de 800 millions de dollars ont été investis en télévision. Avec plus de 500 millions chacun en investissement, les placements publicitaires dans les quotidiens et Internet occupent les deuxième et troisième rangs. En dépit de la croissance des placements en ligne, c'est encore la télévision qui draine le gros des dollars des annonceurs.

Côté conception et production, il est plus difficile de mettre un prix moyen sur les publicités. Les coûts peuvent varier de quelques milliers de dollars à plusieurs millions, dans le cas de grandes campagnes mondiales. Par exemple, la publicité de Chrysler avec Eminem qui vante les mérites de Detroit aurait coûté près de 12,5 millions à produire. La campagne de Pepsi mettant en vedette une Britney Spears traversant les époques, diffusée au Super Bowl 2002, a coûté quelque huit millions. Cependant, c'est le message de Chanel N° 5 avec Nicole Kidman qui remporte la palme des coûts de production : la marque de parfum aurait dépensé 33 millions pour produire cette campagne, dont trois millions en cachet à la célèbre actrice.

DES COUPS D'ÉCLAT POUR PALLIER UN MANQUE DE MOYEN

Souvent, les marques peu connues et disposant d'un petit budget choisissent la voie du coup d'éclat. Faute d'avoir les moyens de se payer de l'espace à la télé, à la radio ou en affichage, elles surprennent, dérangent ou choquent en espérant voir leur message relayé gratuitement dans les médias, sur le Web ou sur les réseaux sociaux. Quand un coup publicitaire est repris par les médias d'information, c'est la consécration. En 2014, quand le défi du seau d'eau glacée (#icebucketchallenge) a pris d'assaut le Web, toutes les chaînes d'information ont relayé la nouvelle. Une campagne de « pub » qui n'a rien coûté en placement média ou en production, mais qui était impossible à contrôler.

De plus en plus de clients demandent à leur agence des vidéos virales. Malheureusement, la recette de la « viralité » n'existe pas. Les marques cherchent à rendre un contenu plus accrocheur et plus facile à partager, mais prévoir la visibilité avec certitude demeure impossible. Pour être certain d'être vu, il faut encore payer !

CULPABILITÉ

LA PUB NOUS AIDE-T-ELLE À NOUS SENTIR MOINS COUPABLES DE CONSOMMER?

Le saviez-vous? Si 28 % des consommateurs ressentent de la culpabilité lorsque leur consommation a un impact sur l'environnement, 78 % avouent cependant aimer à ce point le magasinage qu'ils ne sauraient s'en passer. Nous avons un rapport ambigu à la consommation : d'un côté, elle nous permet de satisfaire certains de nos besoins (se vêtir, se nourrir), de l'autre, elle répond à un désir hédoniste (se faire plaisir). Selon l'observatoire des tendances Trendwatching, l'acte de consommer génère aussi de la culpabilité.

En tant que consommateur, on se sent coupable :

- **envers soi** : effets de certains produits sur notre santé ;
- **envers la société** : capital humain, exploitation des enfants, conditions de travail dans les pays en voie de développement, répercussions politiques ;
- **envers la planète** : émissions de CO_2, suremballage, utilisation du plastique.

Aujourd'hui, les marques et les publicitaires doivent tenir compte de tous ces aspects lorsqu'ils s'adressent à nous pour proposer leurs produits et services. C'est pourquoi nous voyons de plus en plus de marques créer des produits « déculpabilisants ». Quand Blake Mycoskie a créé, en 2006, la marque de chaussures TOMS, il a construit un modèle reposant tout entier sur la stratégie du don : pour chaque paire de chaussures achetée, une autre est donnée à un enfant qui en a besoin dans le monde. Le succès de l'entreprise est tel qu'elle propose aussi aujourd'hui des lunettes et travaille à l'extension de sa marque à différents autres produits.

La chaîne de restauration rapide Burger King a quant à elle créé les Satisfries, des frites contenant 40 % moins de gras. IKEA a lancé un marché aux puces virtuel qui permet de revendre des meubles IKEA d'occasion. Autant de façons de dire aux consommateurs : « Consommez mes produits sans aucune culpabilité, vous faites aussi une bonne action. » Déculpabiliser, c'est aussi nous donner une raison supplémentaire d'acheter un produit. Les marques font attention de ne pas verser dans le « *social washing* », qui consiste à mettre de l'avant des pratiques sociales pour vendre, mais sans nécessairement mener à des actions concrètes. Parfois, la marque investit beaucoup plus pour faire connaître son engagement dans une cause que dans la cause elle-même. Quand la suspicion sur les intentions réelles de la marque émerge, l'opération perd toute valeur.

DÉCONNEXION

D

À L'ÈRE DU TOUT CONNECTÉ, L'ANONYMAT EST-IL DEVENU UN ARGUMENT POUR NOUS FAIRE ACHETER?

Café-Facebook-courriels-boulot-Web-Facebook-dodo. Telle est la réalité de plusieurs d'entre nous. En moins de 10 ans, les écrans ont pris une place encore plus importante dans nos vies. Pour preuve, au Québec, selon le CEFRIO, c'est plus de 85 % des internautes québécois qui utilisent les réseaux sociaux. Et 50 % des internautes s'y connectent quotidiennement. Bref, notre monde est de plus en plus connecté: mobiles, ordinateurs, télés et une nouvelle panoplie d'objets intelligents. Nous sommes sursollicités en permanence et, depuis l'apparition des réseaux sociaux, la frontière entre nos vies privées, publiques et professionnelles s'estompe.

Avec des téléphones mobiles toujours plus puissants et sophistiqués, nous possédons au bout des doigts une technologie permettant de tout suivre, partout, tout le temps: l'info en temps réel, les achats instantanés, la vie de nos proches sans filtre. Au restaurant, notre téléphone est parfois plus important que notre assiette ou, pire, que la personne assise devant nous. Au bureau, un appel a préséance sur une réunion. Entre amis, le téléphone vient bien souvent couper court à nos conversations. Ces comportements reflètent notre peur de manquer quelque chose. D'ailleurs, il existe un nouvel acronyme pour désigner notre crainte de manquer quelque chose : FOMO (*fear of missing out* ou peur de rater quelque chose).

Face à cette connexion permanente, de plus en plus de consommateurs du Web décident de tourner le dos aux réseaux, de façon temporaire ou permanente. Ces gestes de rejet sont à la connectivité ce que « la journée sans achats » est à la consommation : un retour du balancier, toutefois plus symbolique qu'efficace. Selon un sondage Havas Media réalisé dans le monde en 2012, 63 % des personnes interrogées avaient le sentiment d'utiliser « beaucoup ou trop » les nouvelles technologies et autant exprimaient l'« envie de se déconnecter ».

On a vu émerger dans les dernières années le concept du JOMO (*joy of missing out*, ou le plaisir de rater quelque chose ou de se déconnecter). En gros, une forme de retour à la simplicité et l'envie de vivre sans que le Web soit le centre de notre existence. La déconnexion devient d'ailleurs un vrai marché : cures de désintoxication digitales, expériences diverses de déconnexion racontées dans des livres, articles fouillés sur le sujet... Comme pour plusieurs tendances sociales, les marques sautent dans le train en marche et proposent des campagnes de pub qui vantent les mérites d'une vie « sans écran ». La bière Amstel offre un verre à toute personne qui laisse son téléphone cellulaire au vestiaire du bar. Les chocolats KitKat proposent des zones « sans WiFi », qui bloquent les ondes Internet sur un rayon de cinq mètres, afin d'appuyer la proposition de la pause KitKat.

Plusieurs personnes ayant fait l'expérience de la déconnexion ont vécu un manque par rapport à certaines fonctionnalités, mais aussi un retour à certaines valeurs et une meilleure conscience de l'environnement. La technologie et la connectivité sont de bons outils, mais de mauvais maîtres.

Et vous, êtes-vous prêts à vous déconnecter ?

TEST

ÊTES-VOUS TROP CONNECTÉ ?

Combien de fois aujourd'hui, avez-vous…

regardé votre téléphone sans qu'il ne sonne ?

publié sur Twitter ?

consulté Facebook ?

diffusé une photo ?

ressenti une vibration fantôme de votre téléphone ?

consulté votre téléphone en conduisant ?

marché sur le trottoir les yeux rivés sur votre téléphone ?

RÉSULTATS

De 1 à 5 : Vous avez une relation saine avec la technologie. Vous aimez votre téléphone, mais pas plus que votre chien. La disponibilité du WiFi a peu d'influence sur votre choix de restaurant. Bref, vous n'avez pas oublié qu'il s'agit d'un outil, pas d'une fin en soi.

De 6 à 10 : Attention, la technologie gagne peu à peu du terrain sur vos rapports sociaux. Votre téléphone et les réseaux sociaux prennent beaucoup de place dans votre vie.

De 11 à 15 : Votre téléphone est une fenêtre sur le monde qui vous assure de toujours être bien informé sur ce que vous n'êtes pas en train de faire avec vos amis, parce que vous êtes sur votre téléphone. Vous serez bientôt pris de panique à l'idée de passer une heure sans votre téléphone. Avouez que vous dormez avec lui...

Plus de 15 : Vous êtes un accro. Pour vous, tous les films d'horreur récents commencent par une panne de réseau cellulaire. Vous avez au moins un ami « intime » que vous n'avez jamais rencontré. Grâce à vos congénères *homo numericus,* la sélection naturelle devrait bientôt donner à l'être humain deux pouces par main.

DIVERTISSEMENT

LES MARQUES SONT-ELLES DEVENUES LES NOUVEAUX PARCS D'ATTRACTIONS ?

Red Bull, la marque de boissons énergisantes, a créé en 2001 le Red Bull Crashed Ice, un championnat de patinage extrême qui se déroule chaque année dans plusieurs villes du monde, dont plusieurs manifestations ont eu lieu à Québec. Devenu un évènement très couru, le Red Bull Crashed Ice a largement dépassé la simple activité promotionnelle et est désormais reconnu auprès des sportifs et des amateurs du monde entier. Pourtant, cet évènement a été créé de toutes pièces par une marque de commerce, sans aucune organisation sportive en arrière-plan.

Red Bull, comme de nombreuses autres marques, a compris que la publicité traditionnelle (messages télé, affichage, radio) n'était plus suffisante pour convaincre les consommateurs d'acheter ses produits, de lui rester fidèles et de conserver un sentiment d'« engagement » envers elle. L'apparition du Web a multiplié les points de contact avec les consommateurs : aujourd'hui, une marque peut créer du contenu et le diffuser sur ses propres plateformes. Une websérie, un évènement, autant de façons de rejoindre son public différemment en vue de mieux le fidéliser.

Quand Red Bull a envoyé Felix Baumgartner dans l'espace, orchestrant du même coup un gigantissime coup de communication, elle a tout misé sur l'expérience sans achat média. Pas de spots télé comme on a l'habitude d'en voir. Les salles de rédaction du monde entier se sont empressées de couvrir cet évènement hors du commun. Et les images ont été massivement relayées sur le Web. L'opération a-t-elle été payante pour Red Bull ? À court terme, on peut supposer qu'elle a coûté cher, même si la marque n'en a jamais révélé le coût, qui se chiffre probablement en millions. Quoi qu'il en soit, à long terme, l'exposition médiatique de la marque et la construction d'un lien entre le « dépassement de soi » et Red Bull « qui donne des ailes » vont s'avérer profitables. Les consommateurs seront plus nombreux à faire l'équation : sport extrême + volonté de se dépasser = Red Bull. En fin de compte, ce type d'opération peut vraiment aider la marque à augmenter ses parts de marché.

Il n'est pas nécessaire d'avoir les moyens d'envoyer quelqu'un dans l'espace pour s'investir dans le divertissement de marque. La chaîne de restauration américaine Chipotle a créé en 2014 une websérie de quatre épisodes de 30 minutes : *Farmer and Dangerous*. L'histoire tourne autour du président d'un puissant syndicat agroalimentaire, Buck, qui aide ses adhérents à résister à Animoil, un méchant conglomérat industriel d'OGM. La série a été mise en ligne sur le site de vidéos Hulu.com et a été soutenue, comme les grandes séries télé américaines, par une campagne d'affichage. Le logo de Chipotle n'apparaissait qu'au générique et pourtant, l'opération a été un succès contribuant à la notoriété de la marque.

Pour une entreprise, le principal avantage de la fiction, c'est qu'elle peut faire passer des messages organisationnels tout en divertissant. Chipotle essaie de nous démontrer que l'entreprise prend à cœur la provenance des aliments. La recette du succès ? Éviter les messages peu subtils et le tapissage de logos. Le consommateur n'est pas dupe !

DOVE

COMMENT UNE MARQUE DE COSMÉTIQUES A-T-ELLE CHANGÉ LA DONNE EN COMMUNICATION ?

Le 6 octobre 2006, la marque de savon Dove a mis en ligne sur YouTube la vidéo *Evolution* qui, en une minute, montre la transformation, par le maquillage et l'infographie, d'une femme dont le visage finit par apparaître sur un panneau publicitaire pour une marque fictive de cosmétiques. En seulement un mois, plus de 15 millions de personnes ont « partagé » ce petit film publicitaire qui dénonçait les retouches abusives et la vision idéalisée de la beauté en publicité. Le message publicitaire est aujourd'hui au 53e rang des vidéos les plus vues de l'histoire du site YouTube. Ironique, puisque Dove vend elle aussi des produits de beauté. Avec cette campagne et la fondation « Le Fonds de l'estime de soi » qu'elle a mise sur pied, la marque change radicalement la donne dans le monde très homogène de la communication cosmétique : elle dénonce les pratiques de son industrie pour vendre ses propres produits.

L'opération a été un succès sur toute la ligne : elle a été relayée par les médias du monde entier, débattue et discutée par les consommateurs sur les médias sociaux, mais surtout, elle a fait grimper les parts de marché de Dove. Selon le média américain spécialisé en communication Advertising Age, depuis le lancement de cette campagne, les revenus de la marque sont passés de 2,5 à 4 milliards de dollars par année.

Depuis, l'entreprise a fait de cet axe de communication le fer de lance de ses campagnes publicitaires : elle invite les femmes à s'accepter telles qu'elles sont et à ne pas succomber aux dictats de la beauté. Mais n'est-ce pas un peu hypocrite, surtout lorsqu'on sait que la marque Dove appartient au géant Unilever, qui possède aussi la marque Axe, qui exploite une vision plutôt étroite (et machiste) de la beauté ?

C'est ce que l'on appelle le positionnement : Dove s'est approprié un terrain de communication inédit, que personne dans sa catégorie ne revendiquait. Pourquoi un positionnement si socialement engagé ? Pour vendre davantage, bien sûr, mais aussi pour avoir un impact sur la société (et le faire savoir). Ce type de communication est de plus en plus fréquent chez les marques qui veulent être aimées pour ce qu'elles font et non seulement pour ce qu'elles produisent. Au risque parfois de paraître opportunistes.

ÉCOBLANCHIMENT

E

LES MARQUES SONT-ELLES VRAIMENT SOUCIEUSES DE L'ENVIRONNEMENT?

On a beaucoup parlé d'environnement dans les 30 dernières années. En quelques décennies, l'environnement est devenu un enjeu important pour les Québécois. Des manifestations comme celle du Jour de la terre attestent que le sujet préoccupe. Depuis les vagues d'actions musclées de Greenpeace dans les années 1980, nous sommes conscients de l'impact de notre consommation sur la planète et de l'incidence des activités humaines sur les catastrophes naturelles. Chaque ouragan, chaque tsunami, chaque déversement de pétrole vient renforcer le consensus social autour de l'environnement.

Voiture, épicerie, vêtement, on voit aujourd'hui toutes sortes de marques qui intègrent dans leurs publicités un discours environnemental. Parfois maladroitement, souvent de façon caricaturale, toujours pour plaire aux consommateurs.

On appelle «écoblanchiment» une stratégie marketing qui vise à rendre l'image d'une marque ou d'une entreprise «environnementalement acceptable» sans forcément mener à des actions concrètes. En bref, c'est un peu comme se vanter de quelque chose que l'on ne fait pas nécessairement.

Le consensus social est clair : polluer, c'est mal, autant pour les individus que pour les entreprises. Partant de ce principe simple, les entreprises et les marques ont vite compris l'importance de se montrer soucieuses de l'environnement pour plaire au plus grand nombre de consommateurs possible. Si certaines entreprises profitent de la publicité et du marketing pour faire (faussement) valoir leurs actions écoresponsables, d'autres ont intégré des pratiques environnementales claires au cœur de leur modèle d'affaires et mènent des actions concrètes. Par exemple, au cœur de sa raison sociale, Patagonia a une clause qui énonce la volonté de l'entreprise de faire passer le bien de ses consommateurs et de ses employés avant celui de ses investisseurs. Son rapport environnemental et social est publié chaque année en même temps que les résultats financiers de l'entreprise et le tout est accessible sur le site organisationnel de la marque, qui fait état de plusieurs opérations pour réduire sa consommation énergétique et éviter de trop communiquer pour échapper à la surconsommation.

Au milieu des années 2000, l'environnement est sur toutes les tribunes : congrès, films (*An Inconvenient Truth* d'Al Gore notamment). Les entreprises commencent à prendre massivement la parole sur cet enjeu de société. L'exemple de la marque de cosmétique Dove a fait école : la marque, qui promeut la « vraie » beauté, la beauté « naturelle », a durement été attaquée par Greenpeace pour son utilisation de l'huile de palme au détriment de la forêt amazonienne. Le film réalisé par l'ONG et les pressions des consommateurs ont été tels que la marque a dû revoir l'ensemble de ses produits et s'engager à renoncer à l'huile de palme. Une mauvaise campagne de publicité qui aurait pu être évitée si les pratiques environnementales de l'entreprise avaient été en adéquation avec son message de communication.

NATUREL!

100%

ÉCOLOGIQUE!

D'ailleurs, selon l'institut Trendwatching, 91 % des consommateurs dans le monde croient que les marques doivent aller au-delà des lois et établir des standards plus élevés de responsabilité sociale. Les consommateurs demandent aujourd'hui aux marques de recycler, mais aussi de s'engager à produire de manière responsable. Les entreprises qui ne le font pas ou qui n'ajusteront pas leurs pratiques dans les prochaines années seront pointées du doigt, voire boycottées, comme cela a été le cas de Dove.

CINQ FAÇONS DE DÉTECTER L'ÉCOBLANCHIMENT

L'absence de preuve : Il y a absence de preuve lorsqu'on avance un argument écologique sans prouver qu'il est réellement efficace. L'emploi de mots comme 100 % naturel ou 100 % vert sont à prendre avec des pincettes. Que dit vraiment la liste des composantes du produit ? Le produit est-il homologué ?

L'alibi écologique : L'entreprise se donne un alibi écologique lorsque, pour remédier à la mise en marché d'un produit toxique ou mauvais pour l'environnement, elle prend des mesures compensatrices, par exemple en rendant l'emballage recyclable ou en s'engageant à planter un arbre à chaque plein d'essence.

Le mensonge par omission : La marque ment par omission lorsqu'elle annonce que son produit est biodégradable alors qu'il ne l'est que dans une très faible proportion, ou encore lorsqu'elle vante les ingrédients naturels du produit en passant sous silence ceux qui sont produits chimiquement.

Le visuel « vert » : Le simple fait de recourir à l'imagerie du « vert » dans les logos est visuellement efficace. L'entreprise peut ainsi se dispenser d'actions concrètes et de messages environnementaux. Sur la seule foi de l'image, les consommateurs tiendront pour acquis que l'entreprise respecte l'environnement.

La fausse certification : La marque use de la fausse certification lorsqu'elle prétend faussement offrir un produit 100 % responsable ou qu'elle le fait « certifier » par un organisme qui n'existe pas…

LE SAVIEZ-VOUS ?

Chaque année, l'organisme Interbrand propose un classement des marques les plus « vertes », c'est-à-dire celles qui prennent le plus de mesures concrètes pour améliorer leur bilan environnemental. Pour le consulter, visitez le www.interbrand.com.

ENFANTS

LA PUB POUR LES TOUT-PETITS, EST-CE LÉGAL ?

Au Québec, la Loi sur la protection du consommateur interdit la publicité à but commercial destinée aux enfants âgés de moins de 13 ans.

L'encadrement des publicités s'étend à l'ensemble des supports et des médias : radio, télévision, Web, téléphones mobiles, imprimés (journaux, magazines, feuillets publicitaires), affichage et même objets promotionnels.

La loi oblige les marques et les publicitaires à se soumettre à certaines restrictions, sous peine d'être interdits de diffusion.

Pour déterminer si la publicité s'adresse véritablement aux enfants, la loi invite à se poser les questions suivantes :

- À qui le bien ou le service annoncé est-il destiné ? Est-il attrayant pour les enfants ?
- Le message publicitaire est-il conçu pour attirer l'attention des enfants ?
- Les enfants sont-ils visés par le message ou exposés à celui-ci ? Sont-ils présents au moment et à l'endroit de sa parution ou de sa diffusion ?

Un message publicitaire pour lequel on répond par l'affirmative à l'une de ces questions n'est pas forcément interdit, surtout s'il ne prétend pas s'adresser spécifiquement aux moins de 13 ans. En 2000, pour annoncer son forfait flexible de Bell ExpressVu, le géant canadien des télécommunications a créé un personnage de clown. Les cours d'école se sont emballées pour « Bonjour Toto ! », même s'il était dépeint comme un clown plutôt irritant. Comme Bell ne cible pas les enfants, qui ne sont pas les décideurs des forfaits télé, le message a été autorisé même s'il s'est avéré attrayant pour les enfants.

LE SAVIEZ-VOUS ?

Il a été démontré que les enfants aiguisent leur sens critique par rapport à la publicité en vieillissant. À la télévision, ils parviennent dès 4 à 7 ans à faire la distinction entre la publicité et l'émission où elle passe, mais ils ne comprennent généralement pas son rôle commercial ni son intérêt avant l'âge de 8 ou 9 ans. Des études ont aussi démontré que les enfants exposés à des messages de marques commerciales avant la construction de leur « mécanisme de défense » se montrent durablement favorables à certains produits annoncés, même une fois devenus adultes. C'est la raison pour laquelle plusieurs marques essaient de contourner ces lois pour trouver une façon de rejoindre les enfants à tout prix.

Vous pouvez consulter le Guide d'application des articles 248 et 249 de la Loi sur la protection du consommateur au www.opc.gouv.qc.ca/fileadmin/media/documents/consommateur/bien-service/index-sujet/guide-application.pdf.

FACEBOOK

LE RÉSEAU SOCIAL LE PLUS PUISSANT DU MONDE EST-IL DEVENU LE NOUVEAU «LIVRE DES MARQUES»?

facebook

Selon les données du CEFRIO, sur les 82% des Québécois abonnés à des médias sociaux, 66% utilisent Facebook et 44% s'en servent quotidiennement. Cette proportion est encore plus grande chez les 18-34 ans, champions toutes catégories du réseau. Plus besoin de présenter le réseau social numéro un au monde, créé par Mark Zuckerberg à l'Université Harvard en 2004, qui compte selon son fondateur plus d'un milliard d'utilisateurs actifs. Au départ «portfolio» des étudiants du campus, ce réseau s'est rapidement élargi au monde entier pour permettre à tout le monde de se connecter avec ses amis et de partager photos, vidéos et autres infos à jour sur sa vie privée.

Rapidement, la puissance de Facebook a convaincu de nombreuses grandes marques d'y faire leur place. McDonald's, Coca-Cola, Dove ou L'Oréal ne sont que quelques-unes de ces grandes entreprises qui utilisent Facebook pour rejoindre les consommateurs et gagner de nouveaux marchés. La nature du réseau a forcé les marques à adopter un nouveau ton de communication plus complice et plus ouvert.

Aujourd'hui, n'importe qui peut exprimer son mécontentement envers un produit ou un service, les consommateurs peuvent se regrouper et exercer une pression sur les marques et les organisations. Quand l'entreprise Lassonde, qui commercialise les jus Oasis, a intenté un procès contre une petite PME québécoise qui utilisait le nom « Oasis » pour nommer un de ses savons, les usagers Facebook ont pris d'assaut la page de la marque pour l'inonder de commentaires négatifs, critiquant vivement son manque d'empathie et son geste nuisible à la petite entrepreneure. La lenteur de la réponse de l'entreprise et son manque de communication sur les réseaux sociaux en ont fait un cas d'école de mauvaise gestion de son image et de sa réputation sur Facebook.

Car c'est bien ce dont il s'agit : les marques essaient de faire des consommateurs une partie prenante de leurs communications pour éviter qu'ils ne se retournent contre elles et salissent leur image. La plupart des géants de la consommation font appel à des gestionnaires de communauté chargés de répondre, d'engager un dialogue, de prévenir et de gérer les éventuelles crises d'image sur le Web. D'ailleurs, toujours selon le CEFRIO, plus de la moitié des utilisateurs des médias sociaux suivent au moins une marque ou une organisation. Le potentiel de ventes est aussi beaucoup plus important chez les *fans* avoués.

Du côté de Facebook, on fait tout pour permettre aux marques de se rapprocher des utilisateurs : vente d'espaces publicitaires, monétisation des « mises à jour » des marques pour qu'elles soient vues par tel ou tel type de consommateurs potentiels, etc.

Reste à savoir si cette omniprésence publicitaire ne finira pas par nous éloigner de Facebook. Plusieurs études notent que la plateforme sociale perd de plus en plus d'utilisateurs en raison de l'arrivée d'autres plateformes, de la désaffectation des plus jeunes par crainte d'atteinte à la vie privée, de l'omniprésence publicitaire et du manque de pertinence de certains messages de marque.

FARCE

POURQUOI VOIT-ON DE PLUS EN PLUS DE CAMÉRAS CACHÉES PUBLICITAIRES SUR LE WEB?

Nous éprouvons souvent de l'empathie pour les personnes qui se font piéger à une émission telle que *Juste pour rire*. Le «*prank-vertising*», ou le marketing de la farce, exploite cette empathie et les caméras cachées au profit d'une marque. En piégeant les consommateurs, on veut surtout leur faire découvrir un produit ou un service.

Bien souvent, ces mises en scène se déroulent dans un lieu public (cinéma, café, bureau, rue, etc.) et ont pour but de provoquer une émotion (la peur, dans la plupart des cas) pour filmer une supercherie qui deviendra virale sur le Web. Un bon exemple? Lors de la sortie américaine du film d'épouvante *Carrie,* mettant en scène une jeune fille aux pouvoirs télékinésiques, une farce a été jouée dans un café. Devant les clients terrifiés, une jeune actrice faisait voler des objets et des personnes sans les toucher. Déclenchant des scènes de panique dans le commerce, la vidéo en ligne a été visionnée plus de 60 millions de fois (2015). Du côté de la Belgique, en 2012, la chaîne TNT a mis en scène un braquage sous l'œil des passants. La vidéo a aussi été visionnée plus de 50 millions de fois. Si ces opérations ont été de francs succès sur le Web, toutes n'ont pas eu cette chance. Quand la marque de cuisine française Cuisinella a mis en scène la mort de personnes dans les rues, les consommateurs et certains chroniqueurs ont dénoncé cette pratique commerciale, craignant des réactions regrettables et stigmatisant son mauvais goût. Aux États-Unis, une femme a même poursuivi Toyota et son agence de publicité pour 10 millions de dollars en réparation des séquelles psychologiques causées par la facétie où elle s'était fait prendre. Lors d'un test de conduite, la jeune femme avait été prise dans une véritable course de « rodéo » qui l'aurait traumatisée. Au Québec, les marques semblent plus réticentes devant ce procédé qui peut se retourner contre son auteur. Ici, on opte plutôt pour des « pièges » sympathiques, comme cette opération de Desjardins, qui, dans le trajet d'un bus faisant la route entre Montréal et New York, a surpris les voyageurs en offrant des billets de spectacle aux détenteurs de cartes Desjardins. Après avoir filmé le tout, la marque a mis la vidéo sur YouTube.

L'intérêt du piégeage d'inconnus dans les rues est son éventuel effet viral. Mises en ligne sur des sites comme YouTube, ces vidéos procurent une campagne de communication à relativement peu de frais. Mais encore faut-il que le lien entre la plaisanterie et le produit soit clair… et que le message soit positif.

Par suite de plusieurs débordements, les marques ont commencé, il y a quelques années, à renoncer à la peur dans leurs mystifications. Jugée trop risquée dans une ère où chaque faux pas peut être dénoncé par des groupes de consommateurs sur le Web, la « farce » est dorénavant employée de façon « positive ». Les marques cherchent plutôt à émouvoir et à divertir. Un exemple ? La marque de sport The North Face a ouvert en Corée un magasin où le sol se dérobait littéralement sous les pieds de ses clients. Ces derniers devaient alors grimper à un mur d'escalade et tenter d'attraper un manteau pour sortir de la pièce. Sous le thème « Ne cessez jamais d'explorer », la marque offrait à la fois un cadeau et une forme de défi sportif. Une opération bien moins risquée et qui a fait la une de plusieurs sites Web.

Le succès de ces opérations est tel que, depuis mars dernier, une agence numérique américaine a lancé sur YouTube une série Web qui piège des gens de façon positive. Le projet, appelé *Prank it Forward,* permet aux consommateurs de soumettre la candidature de personnes de leur entourage. L'une de ces vidéos mettait en scène une jeune serveuse dans un restaurant qui se faisait piéger par de faux clients : au lieu de recevoir des pourboires en argent, elle recevait des cadeaux (voitures, voyages, etc.). Cette vidéo a été visionnée 10,5 millions de fois (2015), soit plus qu'une bonne partie des émissions de télé ! Indépendante de toute marque, cette série a été spécialement conçue pour permettre à des marques de tendre des « pièges » faits sur mesure par elles. Une deuxième saison est prévue pour la mi-novembre 2015 et déjà des marques veulent s'y associer, ce qui était précisément le plan de départ de l'opération.

FÉMINISME

LE FÉMINISME EST-IL UN NOUVEL ARGUMENT DE VENTE ?

Depuis quelques années, les prises de position de plusieurs femmes influentes dans le monde se sont multipliées. L'actrice Emma Watson, connue pour son rôle dans Harry Potter, a prononcé un discours à la tribune de l'ONU à New York en faveur des droits des femmes. Promouvant la campagne #HeForShe, elle a appelé les hommes à se joindre au mouvement et à devenir eux aussi des agents de changement pour une meilleure égalité des sexes. Sheryl Sandberg, la première femme à occuper un poste à la haute direction de Facebook, a poursuivi ses efforts pour encourager les femmes à atteindre leur plein potentiel en affaires avec sa campagne *Lean In,* faisant écho à son *best-seller* du même nom. En plus de proposer des cercles de discussion sur le leadership féminin (*Lean In Cercles*), Sandberg a lancé un mouvement visant à bannir l'adjectif *bossy* (autoritaire) souvent affublé aux femmes en situation de pouvoir. Son plaidoyer : quand les garçons font montre de beaucoup d'assurance, ils sont qualifiés de leaders ; quand les filles font de même, elles sont taxées d'être autoritaires. Sandberg a rallié à sa cause Beyonce, Victoria Beckham et l'ancienne secrétaire d'État américaine Condoleezza Rice, pour ne nommer qu'elles.

De nombreuses marques comme Dove, Pantene, Verizon et Always ont amorcé un virage dans leur discours pour prendre position dans le débat entourant le féminisme : messages qui incitent les femmes à s'affirmer telles qu'elles sont, qui dénoncent les stéréotypes associés au genre féminin, etc. Quel est l'intérêt d'une marque à se mouiller dans un tel enjeu de société ?

Dove, avec sa campagne pour la « vraie » beauté, est probablement la marque qui a le mieux épousé une vision rejoignant la femme d'aujourd'hui. La marque de savon remet en cause les standards de beauté, dénonce l'abus de retouches infographiques et propose une image de féminité plus naturelle. Deux ans après le lancement en 2004 de la campagne pour la beauté naturelle (*Real Beauty*), Dove et son agence canadienne Ogilvy & Mather ont réalisé la vidéo *Evolution,* qui révèle l'impact du maquillage et des retouches photo dans les campagnes d'affichage. Cette vidéo de 75 secondes dénonçant ces opérations cosmétiques qui influent sur nos standards de beauté est devenue un phénomène viral.

La marque Always est un autre exemple récent et particulièrement intéressant : dans une vidéo, elle invite des comédiens en audition à se comporter « comme une fille » pour ensuite les amener à réfléchir à leurs stéréotypes : courir comme une fille, se battre comme une fille, lancer comme une fille, etc. Ce projet publicitaire a été réalisé par la photographe et documentariste Lauren Greenfield dans la campagne « #LikeAGirl » d'Always, marque de Procter and Gamble. Le message à retenir ? Le comportement des femmes est dicté par la société et répond à une construction sociale. La vidéo a été vue plus de 55 millions de fois (2015). Pour une marque qui vend des serviettes hygiéniques, c'est… pas si mal !

Pour sa part, la campagne de Pantene « *Strong and Shine* » encourage les femmes à arrêter de s'excuser pour tout et pour rien.

La marque propose aux femmes de s'affirmer davantage au travail et à la maison. C'est d'ailleurs Sheryl Sandberg qui a été l'une des premières à faire partager ce message sur ses réseaux, son engagement faisant de cette publicité pour shampoing un phénomène viral. Encore une fois, ce message montre à quel point l'engagement social des marques aujourd'hui est un puissant facteur de différenciation… avec, à la clé, l'espoir de gagner des parts de marché.

En même temps, nous assistons à une vraie montée en puissance du marketing de genre : des marques offrant des versions féminines de leurs produits, comme les jouets, les accessoires, les objets technologiques, etc. N'y a-t-il pas là un double discours ? D'un côté, le marketing et la communication segmentent de plus en plus, jusqu'a créer des produits et des messages qui campent les hommes et les femmes dans des attitudes très normatives, et de l'autre côté, un retour de bâton des consommateurs qui ne se reconnaissent plus dans les cases où on veut les mettre.

Face à ces pressions de citoyens consommateurs, les marques les plus opportunistes jouent la corde des messages féministes pour promouvoir leurs produits. Une bonne recette, si l'on se fie au succès obtenu par Dove, Always et Pantene. Selon le *Advertising Benchmark Index,* toutes ces campagnes ont eu un effet positif sur la perception de la marque, en plus de faire évoluer notre société à leur façon.

Car ne nous voilons pas le visage : derrière ces messages de société, ce sont des parts de marché que se disputent les grandes marques. C'est ce que l'on appelle une communication aux « valeurs partagées » : on mène une bonne action dans la société, et on attend un rendement concret des investissements grâce à la vente de ses produits et à l'amélioration de son image de marque.

Dove aurait réussi à augmenter ses ventes : le magazine spécialisé *Ad Age* rapporte que depuis le lancement de sa campagne pour la « vraie beauté » en 2004, les revenus annuels de la marque sont passés de 2,5 à 4 milliards de dollars.

PEUT-ON ÊTRE FÉMINISTE SANS ÊTRE FÉMINISTE ?

À y regarder de plus près, bien que plusieurs marques embrassent des propos féministes, peu se revendiquent du terme de peur d'être étiquetées par ce mot encore controversé dans la société. C'est sans doute pourquoi plusieurs consommateurs (et consommatrices) dénoncent ce « féminisme mou » et cet opportunisme grandissant des marques à exploiter le territoire de l'inégalité des sexes pour vendre leurs produits.

Un débat est lancé : la simple visibilité offerte à la discussion sur l'égalité des sexes est-elle une contribution suffisante pour rendre une marque noble ?

FEMMES

POURQUOI SONT-ELLES LES REINES DES PUBLICITAIRES ?

Les femmes détiennent le pouvoir décisionnel sur 80 % des achats qui se font. Ce qui veut dire que pour chaque dollar dépensé, 0,80 $ l'est par une femme ou sous son influence directe. Les femmes influent aujourd'hui sur les décisions d'achat de presque toutes les industries, même celles réputées comme étant masculines. Dans le domaine automobile, 60 % des véhicules neufs et 53 % des véhicules usagés sont achetés par des femmes. Mais l'influence de la femme ne s'arrête pas aux véhicules qu'elles achètent directement, puisqu'une femme est présente ou partie prenante au moment de la décision d'achat de 85 % des voitures vendues. Même si, selon de récents sondages, les hommes affirment prendre eux-mêmes la décision d'achat, le vendeur de voitures expérimenté vous dira que, très souvent, monsieur « choisit » la voiture que madame veut…

Dans l'ensemble du commerce de détail, les femmes ont une influence telle sur les achats que dans la majorité des documents internes relatifs aux produits de consommation courante, le genre féminin l'emporte. La cible est une « elle ». Elle magasine, elle préfère, elle achète.

Cette influence n'est pas nouvelle, mais le rôle des femmes comme gestionnaires des achats se clarifie et elles assument de plus en plus publiquement ce rôle à mesure qu'augmente leur contribution au revenu familial. Pourtant, les femmes ne se reconnaissent pas toujours dans la publicité proposée par les marques. D'après une récente étude canadienne effectuée en ligne parmi un échantillon de 1 000 femmes âgées de 18 à 64 ans, c'est quatre femmes sur cinq qui se sentent incomprises par les publicitaires. Ces consommatrices négligées reprochent aux marques de mettre en marché des produits mauvais pour la santé, avec une éthique commerciale douteuse, d'utiliser de façon inappropriée l'image de la femme et de verser dans la facilité.

UN PRODUIT « ROSE » N'EST PAS UNE STRATÉGIE

Ces quatre femmes sur cinq incomprises par les marques estiment que la pub les traite avec distance, souvent avec paternalisme, parfois avec condescendance. Plusieurs publicités visant explicitement les femmes sont pleines de clichés, se méprennent sur leurs motivations et aspirations et demeurent campées dans un univers irréaliste. Encore aujourd'hui les publicités de lessive présentent les femmes comme des obsédées du plus blanc que blanc. Nous ne sommes pas toujours très loin des pubs de la Mustang rose 1957 qui proposait aux femmes de « porter » une voiture assortie à leur rouge à lèvres.

Aujourd'hui, la majorité des marques privilégient une approche plus transparente en offrant des produits et des messages répondant aux besoins des femmes, mais sans pour autant les présenter comme exclusivement féminins. Une meilleure compréhension des femmes et des différentes dimensions de leurs aspirations contribuera sûrement à produire des messages dans lesquels une plus grande part des Québécoises se reconnaîtront.

FRÉQUENCE

COMBIEN DE FOIS DEVONS-NOUS VOIR UNE PUB ?

Le nombre de fois auquel nous sommes exposés à un message publicitaire s'appelle la fréquence. Elle indique le nombre d'expositions pour tel pourcentage de la population cible. On dira par exemple que 85 % de la cible a vu la pub sept fois en moyenne. Comme certaines personnes regardent beaucoup la télé et d'autres très peu, une telle estimation dépend des mesures de performance de campagnes antérieures. On estime qu'un message doit avoir une fréquence minimale pour atteindre son plein potentiel et qu'il ne doit pas dépasser la fréquence maximale au-delà de laquelle il serait « brûlé », c'est-à-dire inefficace ou, pire, assommant.

DE TRIVAGO À TRIVAGOSSE...

Quand une publicité est mise en ondes trop souvent, elle commence à irriter et entraîne parfois même une levée de boucliers. En 2014, les messages de Trivago ont connu un excès de visibilité à la télévision québécoise et le message de la jeune fille à Venise a même donné lieu à un sketch au *Bye Bye 2014* intitulé *Trivagosse*. Après un certain nombre de visionnements, le niveau d'attention du public diminue. Avec sa fréquence élevée, le message de Trivago a perdu en efficacité média. C'est vrai qu'il est coûteux de produire des publicités télévisuelles, mais il est aussi très coûteux de payer pour des messages qui n'attirent plus l'attention. Il s'agit alors d'un manque à gagner... L'annonceur perd en efficacité média. Trivago aurait donc dû couper un peu dans ses achats médias et, avec l'argent récupéré, produire des variantes pour Paris, Tokyo ou Copenhague. En plus de s'épargner les foudres des auditeurs excédés, la marque aurait pu efficacement faire valoir d'autres destinations et faire rêver d'autres voyageurs. L'argent investi dans la production de ces messages supplémentaires aurait été profitable en matière d'efficacité média, et Trivago aurait ainsi mené une meilleure campagne pour le même prix.

QUELLE EST LA FRÉQUENCE PARFAITE ?

Passé une certaine fréquence, les rendements décroissent. Au vingtième visionnement d'une publicité pour un produit, nous sommes moins susceptibles de l'acheter qu'après le premier visionnement. C'est pourquoi les meilleurs annonceurs établissent une fréquence limite afin de profiter pleinement de leur investissement publicitaire.

CES MESSAGES QUI NE MEURENT JAMAIS

Certains messages semblent résister à l'épreuve du temps et de la fréquence. Plusieurs annonceurs mesurent le nombre de fois que les auditeurs estiment avoir vu le message et leur disposition à le revoir. Avec ces données, les marques déterminent le moment où leur message deviendra importun et elles évaluent la pertinence de produire de nouveaux messages plutôt que de continuer avec le même. Certaines diffusions défient les fréquences habituelles, au point que les auditeurs en redemandent. Il en est souvent ainsi des messages offrant un artifice visuel intéressant : transformations au fil des époques comme dans le message de Molson Ex *Jeune depuis 1903,* la présentation de la Cage aux sports par Jean Bédard, etc. Il en va de même des créations émotives atteignant une qualité de production élevée (les splendides messages pour le lait) ou, tout bonnement, de certains messages humoristiques réussis (*Ah, ha! Familiprix* ou la mouffette de Desjardins). Les meilleures pubs, bien produites, ont souvent une plus longue durée de vie.

LE SAVIEZ-VOUS ?

Plusieurs sites Web offrent aux annonceurs de fixer des limites de fréquence pour leurs messages afin qu'un même internaute n'y soit pas trop souvent exposé. La majorité des annonceurs limitent à trois la fréquence de leurs messages.

GAI

POURQUOI LES MARQUES DEVIENNENT-ELLES DE PLUS EN PLUS SYMPATHIQUES À LA COMMUNAUTÉ LESBIENNE, GAIE, BISEXUELLE ET TRANSGENRE (LGBT)?

À l'occasion de la fierté gaie de San Francisco de l'été 2014, la chaîne de restauration rapide américaine Burger King a créé un «*Proud Whopper*». De même goût que l'original, le sandwich contenait dans son emballage le message: «Nous sommes identiques à l'intérieur.» Pure opération marketing? Certainement. Mais la marque a su montrer son ouverture d'esprit et son engagement auprès de la communauté.

Nous sommes tous des consommateurs. Peu importe notre âge, notre sexe, notre religion et nos préférences sexuelles. Avec un marché mondial évalué à plus de 800 milliards de dollars de dépenses annuelles, les gais, lesbiennes, bis et transgenres sont de plus en plus courtisés par les marques.

Bien sûr, les avancées de la dernière décennie en matière d'équité des droits et l'acceptation accrue de la communauté LGBT au sein de la société rendent les marques moins réfractaires à un engagement auprès de cette minorité. Aujourd'hui, parce que le mariage gai est permis et appuyé dans de nombreux pays, parce que l'acceptation des personnes LGBT est plus grande, parce que le concept de la diversité est devenu positif, les marques courent moins de risques à courtiser la cible LGBT, même dans les médias de masse.

Au Canada, la Banque TD participe aux parades de la fierté et au Québec, les IKEA, Bell et Telus proposent des messages publicitaires de plus en plus inclusifs. Une récente étude américaine dévoile les marques qui sont les plus populaires auprès de la communauté LGBT : il s'agit de marques comme Starbucks et Amazon, qui ont depuis bien longtemps intégré à leurs communications un engagement réel dans la vie communautaire LGBT.

© Chris Barnett/Demotix/Corbis

Le drapeau gai flotte au-dessus du siège social de Starbucks, à Seattle.

Que représente le marché LGBT pour les marques ? D'abord, ces consommateurs sont influents (un pouvoir d'achat supérieur de 20 % à la moyenne), ce qui en fait des « cibles » de choix pour les entreprises. Mais ils sont surtout des consommateurs fidèles : 89 % se disent loyaux envers les marques qui s'adressent à eux.

Toutefois, on peut se demander si ces publicités ne stigmatisent pas encore plus les personnes gaies et lesbiennes, bis ou transgenres à cause de l'image très normative qu'elles en donnent. En même temps, on peut aussi se réjouir que des marques commerciales leur ouvrent les portes de leurs messages publicitaires (l'une des formes de communication les plus populaires) et participent ainsi à les faire accepter et à inciter d'autres marques ou pays à le faire. La pub suit les mouvements de société, mais elle peut aussi contribuer à faire évoluer les mentalités.

GÉNÉRATION X

À QUOI CARBURENT LES 35-49 ANS?

Plusieurs définitions diffèrent, mais de façon générale, on estime que les membres de la génération X sont nés après 1966 et avant 1980. Ils ont donc entre 35 et 49 ans. Dans la fleur de l'âge, ils sont toujours en phase d'acquisition et de grandes dépenses. Davantage que les revenus de la génération X, ce sont ses habitudes de consommation qui en font un important moteur économique, en dépit de sa faiblesse numérique par rapport aux baby-boomers.

UNE GÉNÉRATION DÉSABUSÉE

Quand les premiers X arrivent sur le marché du travail au début des années 1980, l'économie est en turbulence et les emplois commencent à se raréfier. Les taux d'intérêt record entravent l'accession à la propriété. Tout ce qu'on leur a promis n'est pas au rendez-vous... C'est un peu la fin du rêve américain.

En plus de ne pas trouver leur place dans le monde du travail, plusieurs X ont vu leurs parents demeurer fidèles toute leur vie à un employeur pour se faire remercier quand l'économie a mal tourné. Inutile de dire que les X ont développé leur sens critique à l'égard des institutions qui ont bénéficié de la loyauté de leurs parents sans leur rendre la pareille.

C'est aussi une génération qui a vécu nombre de crises qui ont remis en question les valeurs sociales. Les institutions sur lesquelles leurs parents s'appuyaient ont été mises à mal pendant l'enfance des X : les ratés de la science (arrivée du VIH-sida, couche d'ozone, *Challenger*), la baisse de confiance dans les institutions politiques (le Watergate pour les plus vieux, le référendum de 1980 ou encore la crise d'Oka pour les plus jeunes) et l'éclatement de plusieurs familles (augmentation du taux de divorce à plus de 50 % au milieu des années 1980). Cette perte de repères a été accompagnée de la formation de nouvelles valeurs qui ont influé sur leur vision du monde et leur consommation. C'est la première génération à qui on ne peut promettre un avenir plus rose que celui de ses parents.

LE CYNISME

Incapables de faire aveuglément confiance aux institutions, les X exigent une grande authenticité dans la communication, ont tendance à privilégier de plus petites marques, des marques spécialisées, à favoriser les marques *challenger* et à acheter les marques maison. Et, avant d'acheter, ils font leur devoir. Ils multiplient les recherches en ligne et se fient aux commentaires des pairs plutôt qu'aux revues, parce que les médias sont eux aussi une institution dont on doute.

LA FAMILLE, LA FAMILLE, LA FAMILLE

Plusieurs X ont vu leurs parents se séparer et ont compris que le mariage n'était plus l'institution qu'elle avait toujours été. La génération X est la première à voir la majorité des femmes faire des études supérieures. Il s'ensuit que la majorité des femmes de la génération X sont actives sur le marché du travail et retardent l'âge de l'arrivée du premier enfant, d'où des familles moins nombreuses… et des mariages moins fréquents.

Soucieux de ne pas reproduire le schéma du père absent et de la mère débordée par son travail, les X ont mis la famille au cœur de leurs valeurs et de leur consommation. On a moins d'enfants, mais on veut s'en occuper plus. Les X s'investissent dans tout ce qui regarde le développement de leurs enfants, mettant souvent en question la compétence des écoles et des enseignants. Et ils sont prêts à acheter à peu près n'importe quoi qui puisse contribuer à la sécurité ou à l'estime de soi de leur petit héritier.

ILS SONT TECHNO… PAR CHOIX

Les X sont les premiers vrais immigrants technologiques. Alors que les Y sont nés avec Internet, les X l'ont adopté. Ils forment donc une génération sensible aussi bien au marketing traditionnel qu'aux nouvelles formes de publicité. Les X s'adonnent volontiers à la recherche en ligne, mais achètent encore la grande majorité de leurs biens dans un «vrai» magasin. Leur pouvoir d'achat explique que plusieurs marques peuvent encore relativement bien s'en sortir sans encore avoir pris le virage technologique. En ligne, ils achètent surtout des livres, des vêtements et des billets pour divers événements.

LA DIVERSITÉ ET L'OUVERTURE

Réfractaires aux ordres et à l'autorité, les X aiment les milieux qui reflètent la diversité du monde. C'est la génération des premières luttes pour la diversité et l'ouverture. Les marques figées dans leur tradition et les communications léchées et homogènes éprouveront davantage de difficulté à se faire apprécier des X.

Bien qu'il soit difficile pour les marques de plaire à des consommateurs cyniques et méfiants, celles qui y parviennent récolteront longtemps leurs fruits, étant donné que les X tendent à demeurer fidèles plus longtemps aux marques qu'ils ont adoptées. Les critères de sélection sont sévères, mais la loyauté est grande…

LE SAVIEZ-VOUS ?

Une chaîne de télé peut-elle faire une génération ?

La génération X a longtemps été surnommée la génération MTV en raison de l'importance de cette chaîne de télé dans la vie des ados des années 1980. Le ton parfois cynique, la frénésie de divertissement et la capacité de naviguer dans un environnement surchargé d'information sont des caractéristiques emblématiques de cette génération.

GÉNÉRATION Y

POURQUOI LES 19-35 ANS SONT-ILS UN CASSE-TÊTE POUR LES PUBLICITAIRES ?

Dans la populaire série *House of cards*, produite par Netflix, la journaliste Zoé Barnes, âgée d'une vingtaine d'années, se fait licencier et insulter par le rédacteur en chef du journal qui l'emploie. Dans une violente altercation, elle lui répond « N'oubliez pas que dorénavant, quand vous parlez à une personne, vous vous adressez à des milliers », avant de faire partager la scène à l'ensemble de son réseau Twitter.

Nés entre les années 1980 et 1995, ils sont la génération Y. Cette génération regroupe les jeunes qui ont grandi avec le développement des technologies (Internet et mobiles). Aujourd'hui, ils intéressent beaucoup les publicitaires parce qu'ils sont jeunes, que leur pouvoir d'achat est grand et qu'ils sont influents dans toutes les sphères de la société. Quand les réseaux sociaux sont apparus, ils ont été les premiers à les adopter et à forcer les marques à changer la façon de communiquer avec eux. Les entreprises ont pris conscience que la publicité traditionnelle ne suffisait plus à les convaincre d'acheter un produit ou un service : la génération Y a grandi avec une plus grande méfiance à l'égard de la publicité. La télévision prend moins de place dans leur vie (les cotes d'écoute télé des 19-35 ans sont largement inférieures à celles de la génération précédente), la consommation de contenus se fait de plus en plus sur le Web (les interfaces de diffusion comme Netflix ou iTunes leur doivent leur popularité) et le multiécran est inné chez eux.

La génération Y est à la fois optimiste et cynique. Elle n'hésite pas à créer des entreprises ou des *start-up* pour réaliser ses rêves, mais demeure lucide sur les enjeux qui marqueront sa société : problèmes environnementaux, ralentissement économique, inégalités sociales, etc. Elle est aussi à l'origine de la société du partage : les sites d'échange (Airbnb ou Car2go) sont devenus populaires grâce à elle et, collectivement, elle a aussi grandement influencé la cohorte qui lui succède, la génération Z. Alors que ses parents (des baby-boomers tardifs ou des X) valorisaient la possession de biens et le prestige lié à la consommation (la marque de leur voiture et la taille de leur maison étaient importantes), les générations Y et Z préfèrent utiliser les biens plutôt que de les posséder. Ils n'ont pas de problème à louer leur maison, leur voiture ou même leurs logiciels. Cette génération a vu ses parents travailler dur pour s'offrir des choses dont ils n'ont jamais vraiment pu jouir : eux souhaitent le contraire, et le Web et les réseaux sociaux le permettent de plus en plus. Études à l'appui, les modèles collaboratifs vont prendre de plus en plus d'importance dans notre économie, en contrepoids à notre société capitaliste, et la génération Y en est la principale instigatrice.

La génération Y désire aussi rompre avec les mécanismes de communication des marques et des organisations : elle maîtrise l'art de se mettre en scène sur les réseaux sociaux. Elle est à l'origine de ce que l'on appelle la « marque personnelle » : elle gère son image sur le Web comme les vrais pros du marketing et de la publicité ! La popularité de blogueurs comme Perez Hilton (potins de *stars*) ou Garance Doré (mode et style de vie) atteste d'ailleurs de la force de ces réseaux. Le controversé publicitaire français Jacques Séguéla a d'ailleurs dit au sujet de cette génération : « Il y a un fils de pub qui sommeille en chaque fils de cette génération de mutants. »

GÉNÉRATION Z

LES NATIFS NUMÉRIQUES VONT-ILS CHANGER L'ÉCONOMIE D'AUJOURD'HUI ?

Natifs numériques, génération.net, *i-generation*: les noms sont nombreux pour qualifier la nouvelle génération de consommateurs, dont les rêves, les valeurs et le style de vie diffèrent (encore une fois) de ceux de ses aînés.

La génération Z comprend tous ceux qui sont nés après 1995. Elle est la génération culturellement la plus diversifiée. Ces jeunes, qui ont moins de 19 ans, sont nés de structures familiales variées : pluralité ethnique, parents de même sexe, métissage, etc. Ils sont aussi la première génération à naître avec l'omniprésence technologique et la multiplication des écrans (Web et mobiles). Résultat : ce contexte influe sur leur vision du monde et leur procure des aspirations bien différentes de celles des générations qui les précèdent.

La génération Z a connu, technologiquement parlant, tous les bouleversements qui font le monde de la communication d'aujourd'hui : émergence du Web 2.0 et de Facebook, Twitter, Instagram, YouTube, Google Street View, lancement du premier iPhone… Toutes ces avancées technologiques en font des consommateurs

0000122

connectés, qui ont un rapport différent au savoir et à la mémoire. Aussi, la mise en scène de leurs vies sur les réseaux et la gestion de leur image sont des éléments acquis qu'ils maîtrisent parfaitement. Consommateurs éduqués, ils sont rodés aux techniques publicitaires. Leur consommation est soit utilitaire, soit expérientielle, mais elle est rarement une fin en soi. Ils rejoignent la génération Y sur ce point : l'utilisation des biens est plus importante pour eux que leur possession, et ils privilégient eux aussi les modèles participatifs comme Airbnb, Car2go, etc.

La génération Z est aussi la première à rejeter le papier et à ne plus le mettre au cœur de ses habitudes de consommation : selon plusieurs études, 55 % des représentants de cette génération sont persuadés que les journaux papier, les livres et les magazines vont disparaître dans un avenir rapproché. Ils accèdent en grande majorité à l'information au moyen de leur écran mobile, et participent à la création de l'information (partage de photos, vidéos, blogues). Ils forment une génération pour qui la cocréation est naturelle : ils partagent de l'information sur les produits qu'ils aiment ou détestent, ils recommandent et notent les marques et les produits, et parfois ils participent même à l'élaboration des produits et de leur communication à l'aide de projets financés par la communauté (*crowdfunding*). Ils sont à la fois le client et le média.

Du côté de la publicité, leur sens critique force les marques à s'adresser à eux différemment : ils sont à la recherche de dialogue et d'expériences et sont très conscients de leur pouvoir d'influence sur la société. À l'image de la blogueuse Tavi Gevinson, qui a connu un succès fulgurant avec ses billets sur la mode et qui gère aujourd'hui son image et sa marque comme une entrepreneure aguerrie, les consommateurs de la génération Z sont prêts à se substituer aux médias et à devenir une force de communication si les médias offerts ne leur ressemblent pas assez. Les entreprises devront s'adapter si elles veulent demeurer pertinentes et se protéger contre toutes les initiatives collaboratives de cette génération de futurs consommateurs-entrepreneurs.

LE SAVIEZ-VOUS ?

La génération Z appréhende plusieurs choses, en voici les principales :

Leur empreinte écologique : La génération Z a conscience des conséquences de sa consommation sur l'environnement. Elle est à la recherche du bien commun et valorise les marques et les entreprises qui mènent des actions concrètes pour l'environnement et la société.

La peur de la solitude : Née avec les réseaux sociaux et le Web, ultraconnectée, cette génération a aussi conscience des dérives de sa communication. Rencontres en ligne, magasinage à distance : sa peur de l'isolement la pousse à valoriser la communauté. Dans sa consommation, elle aime les marques grégaires offrant une valeur pour le groupe ou la communauté.

La remise en question du travail tel qu'on le connaît : Les natifs de la génération Z ont vu leurs parents travailler dur et perdre leur emploi. Ils ont vu de grandes entreprises faire faillite. Ils cherchent donc d'autres modèles de réussite. Ils valorisent l'entrepreneuriat, rêvent de fonder leurs propres entreprises et tiennent pour modèles les fondateurs des Facebook, Twitter ou Instagram.

GLOCAL

POURQUOI LES GRANDES MARQUES N'ONT-ELLES PAS LES MÊMES PRODUITS PARTOUT SUR LA PLANÈTE?

Contraction des mots « globalisation » et « local », la glocalisation est un syndrome bien de notre temps : adapter au marché local la stratégie marketing d'un produit distribué dans le monde entier. L'expression provient de l'expression japonaise *dochakuka*, qui exprime l'adaptation locale de techniques agricoles étrangères. Le terme a été repris par des gens d'affaires dans les années 1980 et appliqué au monde du marketing et de la communication.

Nous vivons dans un monde où les produits que nous consommons s'uniformisent partout sur la planète, et les messages de communication qu'ils diffusent suivent le pas. Nike, McDonald's, Apple, Google, L'Oréal ou Danone, toutes adoptent cette stratégie : elles se disent qu'en somme, les jeunes consommateurs québécois ont, à bien des égards, des modes de consommation similaires aux jeunes Espagnols, par exemple. Mais attention : sur le terrain, il importe d'adapter le produit aux particularités du marché. La chaîne de restauration rapide McDonald's en est un bon exemple : leur message global et leur stratégie sont les mêmes partout sur la planète (un repas rapide où le hamburger et les frites sont la marque de commerce de ce géant américain). Mais en France, par

L'enseigne d'un restaurant McDonald's à Amman, en Jordanie.

exemple, plusieurs produits sont propres à ce marché (croque-monsieur, macarons, desserts locaux, etc.). Même les restaurants sont différents : plus luxueux en Europe qu'aux États-Unis, parce que les Européens aiment passer plus de temps à table. Aux États-Unis, McDonald's a plutôt opté pour des succursales où la rapidité est la priorité.

Le spécialiste des marques Jean-Noël Kapferer explique : « Même quand une marque est en apparence globale, distribuée et connue partout dans le monde, l'examen révèle qu'on est souvent loin de la standardisation du produit : on doit parler de métissage, d'hybridation du produit, d'adaptation forte. » En adaptant leurs stratégies globales aux spécificités culturelles, les grandes marques s'assurent de coller au maximum aux préoccupations des consommateurs. L'Oréal, qui propose des produits de beauté dans le monde entier et fait de grandes campagnes de communications mondiales, s'assure d'avoir une diversité culturelle dans le choix de ses «égéries» et porte-parole pour bien refléter ses différents marchés. En plus, elle met au point des produits très ciblés, comme une gamme de produits blanchissants vendue en Asie mais non en Amérique du Nord.

QUIZZ

Dans quel pays les restaurants McDonald's offrent-ils les produits suivants ?

A. Croque-monsieur	**1.** Maroc
B. Poutine	**2.** Canada
C. McArabia	**3.** Philippines
D. Köfte Burger	**4.** Inde
E. Assiette de poulet frit + McSpaghetti	**5.** Japon
F. McPaneer Royale	**6.** Turquie
G. Tarte patate-bacon	**7.** France

Réponses : A-7, B-2, C-1, D-6, E-3, F-4, G-5.

HALLOWEEN

UNE MINE D'OR POUR LA PUBLICITÉ ?

En 2014, 70 % des Canadiens manifestaient leur intention de fêter l'Halloween. Les frais qu'ils engagent augmentent d'année en année, particulièrement chez les jeunes de 18 à 34 ans. Au Canada, ils dépensent en moyenne (selon la maison de sondage Angus Reid) 75 $ par personne, dont 25 $ pour un costume. Et les bonbons ? Selon Statistique Canada, les ventes de confiseries s'élèvent à plus de 381 millions de dollars durant le mois d'octobre, lequel n'est dépassé sur ce point que par le mois de décembre.

Pour les marques, c'est évidemment une fête incontournable à l'occasion de laquelle elles déploient des offensives publicitaires particulièrement créatives. La peur, thème central de cette fête d'Halloween, est une technique publicitaire facile à exploiter, parce qu'elle crée chez nous un mini « choc », une surprise, qui nous permet de mieux mémoriser un message. Mais surtout, dans le cadre de l'Halloween, elle est liée à un univers qui se prête bien à l'humour et au second degré, recette par excellence pour une publicité qui se partage rapidement sur les réseaux sociaux et qui a le potentiel pour devenir virale !

IKEA, en 2014, a parodié le célèbre film *The Shining* de Stanley Kubrick pour faire connaître les heures prolongées d'ouverture de ses magasins à Singapour. Dans une vidéo qui reprend une scène mythique, celle où un petit garçon parcourt les couloirs en tricycle la nuit tombée, IKEA a remplacé le décor du film par les allées de ses magasins. Résultat ? Une vidéo qui a été abondamment diffusée sur le Web. Même stratégie avec la marque Oréo, qui a créé ses propres « monstres » et les a mis en ligne chaque veille d'Halloween sur ses plateformes sociales : une habile façon de faire parler de sa marque et d'engager les consommateurs dans un environnement qu'ils reconnaissent facilement.

HOCKEY

QUELLE EST LA VALEUR D'UN *FAN* POUR UNE MARQUE ?

Elle est énorme. Les *fans* ne sont pas des consommateurs comme les autres, ils sont plus émotifs. Ils aiment leur équipe et souvent, leur sport préféré occupe une place importante dans leur vie. Si bien qu'une marque qui réussit son association au hockey a souvent une longueur d'avance chez les *fans*. Et quand un produit réussit à s'intégrer au rituel (souvent superstitieux) des amateurs de sports, sa consommation à répétition est presque assurée.

De nombreuses marques cherchent donc à s'associer au hockey, professionnel ou amateur, le hockey des grands ou des petits. Des marques telles que Tim Horton's, Canadian Tire, Esso, Molson, etc., cherchent toutes à s'emparer d'une partie de la passion populaire pour notre sport national. Certaines rappellent qu'elles sont présentes dans sa pratique depuis notre plus jeune âge, d'autres nous font valoir leur soutien pour les joueurs amateurs, et d'autres encore mettent en scène dans leur publicité des professionnels sportifs que nous adulons.

Bien que les *fans* de plusieurs sports intéressent les marques, au Québec, ce sont les amateurs de hockey, et plus particulièrement des Canadiens de Montréal, qui représentent le bassin le plus important et le plus passionné d'amateurs de sports. Il n'y a pas que l'humeur de la ville qui fluctue au rythme de l'équipe : les restaurants, les bars, les brasseurs, les dépanneurs et combien d'autres entreprises peuvent connaître des années difficiles ou fructueuses en fonction de la présence plus ou moins longue du CH en séries. Il n'est pas rare de lire dans un rapport annuel de restaurateur ou de brasseur que l'année a été marquée par une bonne performance ou une sortie rapide du bleu-blanc-rouge.

Sans surprise, les Nordiques manquent autant à la commandite qu'aux amateurs en général. À l'époque de la grande rivalité Canadiens-Nordiques, les marques les plus importantes s'affrontaient dans le marché à coup d'auditoires de matchs et de cotes de popularité. Molson avec le Canadien, O'Keefe avec les Nordiques, Coca-Cola avec le tricolore, Pepsi avec le fleurdelisé. Les marques entretenaient la rivalité autant que les familles divisées par leurs allégeances. Vivement le retour des Nordiques et l'avènement d'une nouvelle rivalité de marque : Bell contre Vidéotron, Molson contre Labatt, Coke contre Pepsi…

HYPERCIBLAGE

COMMENT NOS HABITUDES DE CONSOMMATION AIDENT-ELLES LES PUBLICITAIRES À MIEUX NOUS CIBLER ?

Alors que vous naviguez sur Facebook, vous remarquez soudainement que la publicité sur le côté de la page propose une nouvelle crème antivieillissement ou une paire de lunettes de soleil que vous venez tout juste de voir sur Amazon ou un autre site de vente en ligne. Quel hasard ! Eh bien, non ! Si vous êtes une femme et que vous avez plus de 50 ans, par exemple, la marque sait que vous êtes la consommatrice la plus sensible à son produit. C'est ce qu'on appelle de l'hyperciblage. En d'autres mots, votre typologie de consommation et vos habitudes de vies sont épiées par les marques pour vous vendre des produits.

Les grandes marques cherchent à rejoindre leurs clients potentiels au moindre coût possible et avec le moins de pertes possible. La segmentation efficace des consommateurs est le saint Graal de tout bon annonceur.

Pour expliquer la méthode simplement, disons qu'un annonceur vise à atteindre les gens d'affaires. On sait que les gens d'affaires qui lisent *La Presse* sont plus nombreux que l'ensemble du lectorat du journal *Les Affaires*. Cependant, lorsqu'on achète un espace dans *La Presse*, même dans le cahier Affaires, on paye le prix établi pour atteindre la totalité des lecteurs de *La Presse*, ce qui est contraire au principe du ciblage. Le ciblage consiste donc, pour l'annonceur, à établir le meilleur équilibre entre la quantité de gens rejoints et la perte que représentent ceux pour lesquels il paye sans vouloir les atteindre.

Avec le Web et les médias sociaux, nos comportements en ligne et nos affiliations en disent beaucoup aux annonceurs sur qui nous sommes. C'est en 2007 que MySpace a inventé le terme « hyperciblage » pour désigner la capacité des annonceurs à microsegmenter un auditoire et à diffuser des publicités destinées spécifiquement à différents consommateurs. D'abord limitée à une dizaine de champs d'intérêt comme la musique ou les films, la segmentation a bientôt fait place à des milliers de sous-catégories. Nous sommes différenciés par les informations que nous fournissons quand nous adhérons à une plateforme sociale, par les liens que nous tissons avec les autres, par les préférences que nous exprimons, par notre navigation, y compris par les sites que nous visitons et les achats que nous effectuons. Chacun de nos gestes sur le Web est analysé et converti en donnée : les marques peuvent nous envoyer de la publicité en fonction de notre âge, de notre sexe, de notre lieu de résidence et même de notre couleur préférée.

La branche la plus répandue de cette segmentation s'appelle le « ciblage comportemental », et cela consiste à personnaliser le contenu des sites, les produits qu'on tente de nous vendre et la façon dont on s'y prend. C'est grâce à l'utilisation de *cookies,* marqueurs témoins qui se glissent dans un ordinateur lors de la navigation, que les médias offrent aux annonceurs cette capacité de reciblage de précision. En d'autres mots, si vous avez visité un site sur les lunettes, il y a fort à parier que vous allez être exposé à des publicités de marque de lunettes ou à des sites qui en commercialisent sur les réseaux sociaux ou sur Google. Les types de sites que vous avez visités permettent également de dresser un portrait type de qui vous êtes (ou, à tout le moins, de qui vous semblez être). C'est pourquoi nous retrouvons souvent lors de notre navigation des publicités pour des produits qui sont typiques de notre groupe d'âge, de notre situation ou de nos intérêts.

Souhaitons-nous vraiment que les annonceurs en sachent autant sur nous ? Est-ce que la pertinence des contenus auxquels nous sommes exposés compense leur intrusion dans notre vie privée ? Avec l'augmentation de la télévision par Internet, ces marqueurs témoins pourront déterminer la nature des publicités que nous verrons à notre écran. Deux maisons en train d'écouter la même émission, mais qui ne voient pas les mêmes messages publicitaires, c'est pour bientôt !

QUIZZ

À quelles de ces actions les publicitaires ont-ils recours pour vous vendre des produits ?

A. Faire une recherche sur Google.

B. Publier un statut sur Facebook.

C. Obtenir une carte de fidélité à l'épicerie.

D. Utiliser un code de promotion sur Internet.

E. Participer à un concours.

Réponse : Toutes ces réponses.

INFLUENCE

QUELLE EST L'INFLUENCE DE LA PUB DANS NOS VIES?

« Elle nous fait acheter des biens inutiles, elle peut nous faire voter pour n'importe qui, elle modifie notre image de nous-mêmes et nous créée des besoins... » La publicité a-t-elle vraiment le pouvoir qu'on lui attribue ?

Plus de la moitié des Canadiens croient aujourd'hui que la publicité façonne la société davantage qu'elle ne la reflète. Elle est souvent mise au banc des accusés pour expliquer notre société de consommation effrénée et hypermatérialiste. Malgré tout, dans la majorité des cas, nous sommes plutôt enclins à considérer que la publicité influence... les autres. Chaque consommateur préfère se percevoir comme un acheteur avisé et réfléchi, bien qu'il reconnaisse l'importance de la publicité comme phénomène d'influence dans nos sociétés. Alors qui la pub influence-t-elle vraiment ?

On sait que la publicité nous pousse à essayer de nouveaux produits, qu'elle influence notre perception de produits qu'on n'a jamais essayés, que la publicité alimentaire détermine les préférences des jeunes à court et à long terme (et du même coup leurs demandes aux parents), que les publicités pour les médicaments influencent même les diagnostics et les prescriptions des médecins...

INFLUENCE

MAIS COMMENT ÇA MARCHE ?

Pendant plus d'une centaine d'années, on a cru que la publicité fonctionnait selon le modèle AIDA, c'est-à-dire le processus selon lequel la publicité attire l'Attention, suscite de l'Intérêt, fait émerger le Désir et pousse à l'Action. Récemment, les études se sont multipliées et on a fait ressortir plusieurs facteurs d'influence qui expliquent que la publicité est plus ou moins persuasive. Néanmoins, l'attention, l'intérêt, le désir et l'appel à l'action sont toujours au cœur de la stratégie publicitaire.

On sait que la publicité crée un sentiment de familiarité avec un produit. (Seriez-vous prêts à acheter une voiture d'une marque encore inconnue ?) Elle influence nos choix de consommation en nous offrant des repères pour nous aider à prendre des décisions difficiles. (Sommes-nous vraiment certains que notre téléviseur de marque réputée est de meilleure conception que celui de marque inconnue ?) Elle modifie notre consommation en nous offrant des critères d'évaluation qui autrement n'existeraient pas. (Pourquoi achetons-nous cette bière que la publicité nous présente comme ayant l'avantage d'être froide, alors que toutes les bières mises dans le même réfrigérateur seront tout aussi rafraîchissantes ?) Elle nous pousse à payer plus cher pour un produit qui nous est familier ou qui gagne notre confiance. La simple présence publicitaire d'une marque contribue à nous mettre en confiance même si le message ne vise pas cette fin.

C'est pour toutes ces raisons que les entreprises, en dépit de l'existence reconnue de nombreuses campagnes inefficaces, investissent massivement en publicité. Parce que chaque fois qu'elles parviennent à nous inculquer un préjugé favorable pour leur marque, ce sont des milliers de dollars qui s'amoncellent dans les coffres de l'entreprise.

J

JE, ME, MOI

LES MARQUES DOIVENT-ELLES PERSONNALISER LEUR MESSAGE POUR SÉDUIRE ?

Les marques visent souvent à établir une connexion entre l'image que nous souhaitons projeter et nos choix de consommation. Certains conduisent une Mercedes pour se distinguer, alors que beaucoup d'Américains choisissent une Ford pour montrer leur appartenance à la communauté.

Pour s'assurer que les consommateurs voient le lien entre eux et la marque, plusieurs interpellent directement le consommateur : « Yoplait, le choix préféré des mamans », « La Petro-station des gens d'ici », etc. Cette approche a même créé une vague qui consiste à mettre un pronom personnel dans un nom de marque : iMac/iPod/iPhone, YouTube, MySpace, etc. Au Québec, cette vague s'est fait sentir dans les slogans : Métro est devenu « mon épicier » et la bannière de pharmacie Brunet, qui appartient au même groupe, se fait connaître sous le thème « mon pharmacien ». Il existe même une section MaSanté sur son application MonBrunet. Sans oublier le programme de fidélisation Métro & Moi.

DÉPENSER COMME TOUT LE MONDE

Quand nous voulons tisser des liens interpersonnels, nous avons tendance à corréler nos dépenses avec celles de nos nouveaux amis : nous sommes enclins à dépenser davantage pour des produits qui manifestent notre appartenance au groupe. Nous avons tendance à ne nous singulariser par nos choix de consommation qu'après avoir montré notre appartenance à notre groupe. En bref, notre consommation dit : je veux être différent, mais comme tout le monde.

(RITOURNELLE)

POURQUOI LES RITOURNELLES SONT-ELLES SI FRÉQUEMMENT UTILISÉES ?

Plusieurs publicitaires disent avec humour : « Quand tu n'as rien à dire, chante-le ! » C'est simple : la musique aide à mémoriser. Qui ne se souvient pas d'avoir appris l'alphabet ou les mois de l'année avec une petite comptine ? Si la musique nous aide à mémoriser de l'information, il ne faut pas se surprendre si les publicitaires s'y intéressent pour nous faire retenir un nom, un slogan, un numéro de téléphone ou même un énoncé plus complexe. Pouvez-vous citer le numéro de téléphone du Clan Panneton ?

General Mills revendique la première publicité chantée pour annoncer les Wheaties en 1926. Comme la radio était diffusée en direct, le *jingle* était chanté par un quartet payé 6 $ pour chacune de ses performances.

Encore aujourd'hui, les *jingles* sont plus souvent utilisés en radio parce qu'ils correspondent bien à cet univers de communication. Il est plus naturel d'entendre une chanson, même celle d'une entreprise après sinistre, entre deux pièces musicales qu'entre deux segments de téléroman. Cependant les *jingles* ont déjà été légion sur nos petits écrans et le fait qu'on se souvienne encore de plusieurs d'entre eux témoigne de leur efficacité. *Qu'est-ce qui fait chanter le p'tit Simard* (1970)... Certains slogans musicaux ont même fait leur chemin dans le langage populaire et notre héritage collectif. Après tout, c'est Labatt 50 qui nous a appris que nous étions six millions et qu'il fallait se parler. Sans oublier Marineland et ses images d'épaulard, de manèges et d'enfants souriants. Aujourd'hui, que ce soit les Galeries Rive-Nord de Repentigny ou Hamel-Hamel-Hamel-Honda, les ritournelles sont encore bien présentes.

L'INDICATIF SONORE

Sans utiliser des *jingles* à proprement parler, certaines marques ont choisi quelques notes de musique pour signer leur communication. Que ce soit le pam-pam-pada-pam-pam-pam de Desjardins ou les notes qui viennent avec le « C'est ça que j'm » de McDo, les indicatifs sonores, quand ils se répètent d'une publicité à l'autre, deviennent des logos sonores qui contribuent à notre reconnaissance de l'annonceur.

COMMENT ABANDONNER UN *JINGLE*?

Une fois que la ritournelle est entrée dans nos têtes, elle est difficile à abandonner pour la marque. Pas seulement parce que plusieurs d'entre elles sont des vers d'oreille instantanés, mais aussi parce qu'elles sont devenues un aspect distinctif de la marque. C'est pourquoi certaines marques nous resservent leur ritournelle de façon périodique. C'est notamment le cas de Juicy Fruit, de même que de St-Hubert qui n'hésite pas à ressortir son dring-dring-dring en *jingle* ou en indicatif sonore. Dans le cas de la rôtisserie la plus connue au Québec, c'est plus par nostalgie que par crainte d'être confondue avec une autre marque de restauration. Ah ! oui, le numéro du Clan Panneton, c'est 937-0707 !

QUIZZ

Connaissez-vous vos publicités ?

A. Tout le monde aime…

B. Pop-sac-à-vie-sau…

C. Deux pelletées de raisins secs dans…

D. J'ai le goût de m'y promener à…

E. Il y a 50 bonnes raisons de prendre une 50,
la meilleure est…

Réponses : A. Marineland, B. sec-fi-co-pin, C. les Raisin Bran, D. Place Versailles, E. sous le bouchon.

KRAFT DINNER

COMMENT UN DES PRODUITS LES PLUS DÉCRIÉS DE L'ALIMENTATION A-T-IL RÉUSSI À JONGLER AVEC LA CULPABILITÉ DES CONSOMMATEURS ?

Le Kraft Dinner est un plat de la culture populaire associé aux étudiants et aux « repas faciles ». Malgré sa grande notoriété, le produit a connu une baisse de ses ventes depuis 2010. Alors que l'on parle de plus en plus de repas « santé », que le « fait maison » a la cote et que les émissions culinaires n'ont jamais été aussi populaires au Québec, manger du Kraft Dinner est peu à peu devenu synonyme de mauvaise alimentation. Notre relation à la nourriture a changé et cela a mis la marque en péril.

Pendant 10 ans, Kraft Dinner a été peu visible au Québec : en raison d'une insuffisance de publicité, les ventes stagnaient. Lorsque la marque s'est décidée à s'adresser aux Québécois, en 2012, avec la complicité de son agence de publicité Taxi, elle a opté pour un axe de communication inusité : reconnaître que manger du Kraft Dinner peut susciter de la gêne, voire un sentiment de honte chez les consommateurs. Pour relancer les ventes de Kraft Dinner dans la belle province, il fallait redorer son image, en dépit de sa réputation de « malbouffe ». Pour l'agence de pub et la marque, un constat fort a émergé : les consommateurs sont gênés

de l'avouer, mais ils aiment le Kraft Dinner. La marque a décidé d'exploiter cette forme de culpabilité, plutôt que de la contourner… Une campagne qui joue sur un tabou attire généralement l'attention des consommateurs.

Plutôt que de vanter les qualités nutritionnelles d'un produit controversé, ils ont décidé d'assumer que le Kraft Dinner était une petite gâterie que l'on aime bien s'offrir en cachette. En prenant leur parti des points faibles du produit, les publicitaires qui avaient le mandat de redresser la marque ont joué la carte de la complicité avec les consommateurs. Ce positionnement a donné naissance au slogan « coupable d'être bon », qui mettait en vedette des consommateurs qui assouvissaient leur plaisir coupable en mangeant du Kraft Dinner. Les panneaux et affiches mettaient en vedette des consommateurs dont l'identité était masquée par des boîtes de Kraft Dinner placées à la hauteur des yeux, comme les bandes noires servant habituellement à cette fin. Parmi les personnages, Dany Turcotte, coanimateur de l'émission *Tout le monde en parle,* s'est prêté au jeu. Côté publicité télé, on mettait en scène un homme qui, pour éliminer les preuves, allait jeter sa boîte de Kraft Dinner dans le bac de recyclage… de son voisin.

Cette campagne de pub, récompensée dans des concours publicitaires québécois et canadiens, a permis à la marque d'augmenter ses ventes de 17 % en trois mois. Preuve qu'il est possible de changer l'acceptabilité d'un produit avec un bon positionnement et une publicité qui réussit à toucher le public.

LIEUX

LES LIEUX SONT-ILS DES MARQUES ?

Lors de votre récent séjour à New York, avez-vous mis la main sur ce désormais célèbre chandail *I♥NY* ? Si oui, vous avez participé sans le savoir à la grande campagne de communication de la ville qui ne dort jamais.

Paris, Londres, New York : comme les produits de consommation, les villes se font concurrence pour attirer touristes et entreprises. La mobilité croissante des capitaux et des personnes accentue cette concurrence et l'étend aux villes, aux régions et aux pays. Cette féroce compétition pour l'obtention des taxes, des investissements et des dépenses touristiques a établi son champ de bataille dans notre cerveau. L'arme de choix : la campagne de communication qui forge nos perceptions.

Quelle ville est la plus créative ? Dans quelle région fait-il bon vivre ? Quel pays mérite une visite ? Où notre entreprise devrait-elle investir ? Quel est le meilleur endroit pour notre siège social ?

Avec la prise de conscience de l'importance de la marque pour les lieux, les villes ont de plus en plus recours aux techniques de marketing. Certaines villes ont des réputations établies, mais mènent quand même une campagne de marque et de *branding*. Parfois pour renforcer ce que tout le monde pense (Las Vegas= *Sin City*), parfois pour modifier ou élargir les perceptions populaires. La campagne néerlandaise « *Iamsterdam* » est un excellent exemple de l'effort coordonné d'un pays pour s'établir comme une destination touristique qui a plus à offrir que des *coffee shops* et un *redlight*. Avec cette campagne de marque, on a voulu apposer à Amsterdam des adjectifs aussi variés qu'« intemporelle », « curieuse », « passionnée » et « unique ».

Les pays travaillent de plus en plus à modeler nos perceptions et, en ce sens, sont devenus des marques à part entière. La firme de consultation FutureBrand conduit d'ailleurs une étude annuelle, Country Brand Index, qui mesure et classe la perception générale des pays, les perceptions liées à leur culture, leur vitalité économique, leur développement industriel, leurs politiques sociales.

DES CAMPAGNES CENTRÉES SUR LE DESIGN ?

Pour la majorité des lieux, les acteurs décisionnels sont multiples et ont souvent des intérêts divergents. La chambre de commerce veut parler de la culture entrepreneuriale, l'office du tourisme veut mettre en vedette les incontournables de la région, l'association des hôteliers veut promouvoir la qualité de ses hôtels et de ses gîtes, les élus veulent une campagne noble, etc. Dans ce contexte, trouver un message unificateur qui se démarquera et attirera les investissements et les touristes n'est pas une mince affaire. Il devient donc plus simple de s'entendre sur une identité visuelle (un logo ou une plateforme graphique) qui permet à chacun de faire son petit bout de communication. Une grande partie des efforts de marketing de destination donne donc lieu à des campagnes de *branding* flexible. C'est le cas de *Iamsterdam*, de *I♥NY*, mais aussi, plus près de nous, de *T-Rès Trois-Rivières*. Et cette logique s'applique de plus en plus aux quartiers, alors que plusieurs désirent faire de Hochelaga-Maisonneuve, HoMa, et de Saint-Roch, le Nouvo St-Roch… Sans doute que la popularité de SoHo pousse les commerçants, hôteliers et propriétaires immobiliers à vouloir « rebrander » le quartier pour que leurs actifs gagnent en valeur (*voir Quartier*).

LE SAVIEZ-VOUS ?

Le logo emblématique *I♥NY*, créé en 1977 par le designer Milton Glaser et l'agence Wells Rich Greene, aurait été emprunté à la campagne de la station de radio montréalaise CJAD. À l'époque, CJAD avait recours au rébus *Montreal, the city with a* ♥.

LUXE

POURQUOI SOMMES-NOUS PRÊTS À PAYER PLUS POUR DES PRODUITS DE LUXE?

Chanel, Burburry, Hugo Boss, Cartier: ces produits coûtent cher, très cher. Leur prix est justifié parce qu'ils sont haut de gamme, en raison de leur fabrication artisanale et du savoir-faire qu'elle exige, de la qualité des matières premières, mais surtout... à cause de l'aura de la marque. Mais ces éléments justifient-ils un prix 10 ou 100 fois supérieur? Comment les marques de luxe peuvent-elles se vendre aussi cher?

L'image: Consommer un produit d'une marque de luxe, c'est avant tout montrer son appartenance à un groupe sélect. Les publicitaires l'ont bien compris: plus que le produit, il faut transmettre aux consommateurs un univers de valeurs et un style de vie auxquels les plus nantis voudront s'associer. La différence de prix s'explique bien entendu par la qualité du produit, mais aussi par le message véhiculé par la marque, son «aura». Burberry mise donc sur la jeunesse anglaise chic et branchée, Chanel sur la haute couture et le raffinement parisien, Versace sur l'exubérance et l'insolence italiennes, etc. Ce sont ces univers très campés qui assurent aux marques de luxe des marges de profits impressionnantes. Face à la compétition croissante, au recours au commerce électronique, plusieurs de ces marques cherchent à rejoindre de nouveaux publics. Cependant, elles veulent y parvenir sans nuire à leur image globale… Pourquoi payer un sac à main 3 000 $ si la même marque en offre un à 1 000 $? En se rendant accessibles, les marques de luxe nuisent à leur principal attrait : l'image d'exclusivité.

Pour éviter la banalisation de leur marque, la plupart des grandes maisons de luxe ont maintenant étendu leur production à des marques secondaires, plus accessibles, mais qui gardent intact l'univers de la marque mère (Armani Exhange, une version plus abordable que la marque Armani ; Marc by Marc, la petite sœur de Marc Jacob, etc.). L'autre stratégie, c'est d'offrir des produits secondaires, comme les accessoires (lunettes, parfums, maquillage) qui permettent aux consommateurs d'accéder à des marques comme Chanel, Vuitton ou Dior même s'ils ne peuvent se payer les tailleurs, sacs et autres vêtements. D'ailleurs, les plus gros profits de ces entreprises viennent de plus en plus de ces produits moins chers, plus accessibles au grand nombre.

La rareté : Pour s'offrir un sac Hermès de la collection classique (comme le sac Birkin), il faut parfois attendre plusieurs mois, voire plusieurs années. En limitant ainsi le nombre de sacs produits par année, la marque s'assure de conserver l'image haut de gamme de ses produits, et du côté des consommateurs, l'attente crée l'envie et justifie le prix. Résultat : les sacs Hermès se transmettent de mères en filles ! Le prestige des marques de luxe prend forme dans leurs images publicitaires : l'inaccessibilité (des corps, des images, des paysages) y est très souvent exploitée.

Le discours : Chanel qui fait défiler ses mannequins dans un supermarché, Yves-Saint Laurent qui a créé le premier smoking pour femmes dans une optique de libération, Burburry qui cultive sa passion pour la musique pop-rock anglaise, etc., les marques de luxe adoptent un discours distinctif, souvent audacieux, parfois choquant. Elles doivent naviguer entre deux mondes en opposition : la société et l'élitisme. Quand Karl Lagerfeld crée une fausse manifestation et fait défiler ses mannequins avec pancartes et sifflets, il parodie et exploite des images citoyennes dans un contexte de luxe assumé et souvent ostentatoire. Sexisme, sadomasochisme ou valeurs sociales et religieuses mis en scène font partie des stratégies de communication qui visent à choquer et à démontrer que les marques de luxe ne font rien comme les autres et peuvent (presque) tout se permettre dans leurs communications pour mieux atteindre leur cible privilégiée, au risque de déranger les autres.

La tradition et le savoir-faire : Dans un monde de plus en plus numérique et dématérialisé, dans un contexte de consommation en série de plus en plus mondialisée, le luxe offre un contrepoids à la consommation jetable : confection limitée, qualité des produits, régularité des collections (en opposition aux H & M, Gap et Zara qui lancent de nouveaux produits plusieurs fois par mois). D'ailleurs, plusieurs marques de luxe explorent, dans leurs communications, les valeurs liées à l'artisanat pour distinguer leurs produits des marques plus populaires. La réputation de plusieurs marques, parfois centenaires, est fondée sur l'expertise d'un artisan (Hermès pour les selles de cheval, Louis Vuitton pour les malles) et permet de distinguer leurs produits de celui des grandes marques moins chères. Au Québec, les marques de luxe se font plus rares, mais plusieurs, comme Marie Saint Pierre et Philippe Dubuc, misent également sur leur savoir-faire.

MADE IN...

LA PROVENANCE D'UN PRODUIT EST-ELLE ENCORE IMPORTANTE ?

Nous préférons conduire une voiture allemande et boire un vin français plutôt que de faire l'inverse. Il est mieux vu de porter une montre suisse et de posséder un téléviseur japonais que l'inverse. Le pays d'origine influe considérablement sur nos choix de consommation et la qualité que nous percevons d'un produit. Il n'est pas rare que les produits affichent fièrement leur lieu d'origine, lorsque celui-ci est réputé dans le secteur d'activité. Peu de montres suisses se privent d'afficher le petit drapeau rouge à croix blanche ou la mention « Swiss made », en laquelle nous avons une confiance quasi aveugle.

Les produits alimentaires sont très attachés aux lieux géographiques parce que ces derniers sont un gage de la qualité des ingrédients et de la compétence des artisans. C'est le travail sur les appellations d'origine contrôlée qui a ouvert aux marques la voie de la mention de l'origine. Avec l'internationalisation du commerce et la variété des produits offerts, le pays devient un des facteurs de différenciation. La bière belge n'a pas le même goût que la bière américaine... et pourtant deux blanches, l'une brassée au Massachusetts et l'autre à Bruges, ont plus en commun que

CHINE TAIWAN
CANADA ITALIE
MAROC ÉTATS-UNIS
BANGLADESH
MEXIQUE FRANCE
JAPON AUSTRALIE
TURQUIE INDE
PORTUGAL

Or, les trémas et la sonorité contribuent à son image de qualité. Dans le même ordre d'idées, on devine que le Paris Pâté ne vient pas de Paris...

Aujourd'hui, l'origine d'un produit est de plus en plus difficile à définir. Avec la délocalisation des usines, une Honda a été conçue au Japon et assemblée dans une usine ontarienne avec des matériaux provenant d'un peu partout dans le monde. D'où vient-elle ? Apple indique au dos de ses iPhone « *Designed by Apple in California. Assembled in China* », mettant ainsi les consommateurs face à deux interprétations possibles de l'origine du produit. Notons également qu'Apple n'a pas indiqué « *Designed in USA* », mais bien en Californie, qui a une réputation plus enviable pour les produits technologiques. Apple n'est pas la seule à choisir une appellation d'origine plus précise, puisque plusieurs marques de luxe choisissent de s'associer à des villes plutôt qu'à des pays. Elles intègrent souvent la ville à leur logo : Chanel – Paris, Burberry – London, Patek Philippe – Genève, etc.

La perception d'origine est donc « manipulable ». Par exemple, face à une concurrence forte dans l'industrie des voitures de luxe, Chrysler a conçu une publicité (diffusée au Super Bowl) qui était un véritable hymne à Detroit. Avec le slogan *Imported from Detroit*, le constructeur américain a tenté de miser sur la préférence des consommateurs de voitures de luxe pour les importées.

Parfois, le nom même du produit peut susciter des perceptions de qualité associées à un pays ou à une région. Les trémas sur les consonnes des produits Ikea évoquent irrésistiblement leur origine. Mais, encore une fois, cette perception peut être manipulée. Par exemple, la compagnie de crème glacée Häagen Dazs, aux accents danois, est purement américaine et a été fondée dans le Bronx. Or, les trémas et la sonorité contribuent à son image de qualité.

Dans le même ordre d'idées, on devine que le Paris Pâté ne vient pas de Paris...

Aujourd'hui, on sait aussi qu'il y a bien plus que le lieu de fabrication du produit qui influe sur nos choix de consommation. Par exemple, une étude[1] a récemment démontré que nous sommes prêts à payer davantage pour un produit qui a une longue tradition et qui est fabriqué dans son usine d'origine. Non par peur des contrefaçons ou par souci environnemental, mais bien parce que nous attribuons plus d'authenticité à ces produits. Toujours selon cette étude, nous sommes prêts à payer une dizaine de dollars de plus pour un jean Levi's produit à l'usine d'origine de San Francisco, fondée en 1906, que pour le même jean fabriqué dans des conditions similaires, mais provenant d'une usine plus récente, située de l'autre côté de la rue.

QUIZZ

Associez chaque pays de la liste ci-dessous à une marque de voiture[2].

A. Allemagne	**1.** Ford
B. Japon	**2.** PSA Peugeot Citroen
C. États-Unis	**3.** Volkswagen
D. Italie	**4.** Hyundai
E. France	**5.** Toyota
F. Suède	**6.** SAIC Motor
G. Corée du Sud	**7.** Tata
H. Chine	**8.** Volvo
I. Inde	**9.** Fiat

Réponses : A-3, B-5, C-1, D-9, E-2, F-8, G-4, H-6, I-7.

LE SAVIEZ-VOUS ?

Fait au Canada ou produit du Canada ?

Au Canada, la Loi sur l'emballage et l'étiquetage des produits de consommation et la Loi sur la concurrence n'exigent pas qu'une entreprise indique « Fait au Canada » sur ses produits. Toutefois, si elle désire le faire, elle doit se conformer aux politiques du Bureau de la concurrence. Selon ces normes, un produit comportant l'indication « Produit du Canada » est soumis à un seuil de contenu canadien plus élevé qu'un produit « Fait au Canada ». Dans les deux cas, la dernière transformation substantielle du produit doit avoir été effectuée au pays. Pour établir le taux de contenu canadien, le Bureau de la concurrence tient compte dans son calcul des dépenses en matériaux et en main-d'œuvre. On exige donc d'un « Produit du Canada » que la totalité ou presque (au moins 98 %) des coûts directs de production ou de fabrication aient été engagés au Canada. Dans le cas d'un produit « Fait au Canada », le seuil est établi à 51 %.

1. Authenticity Is Contagious: Brand Essence and the Original Source of Production (http://journals.ama.org/doi/abs/10.1509/jmr.11.0022).
2. FutureBrand.

MARKETING COMPORTEMENTAL

LE MARKETING PEUT-IL NOUS INCITER À ADOPTER UN MEILLEUR COMPORTEMENT?

Dans le petit village de LaVerne, aux États-Unis, une note a été apposée à la porte de 120 maisons pour informer les foyers du nombre de voisins participant au recyclage des ordures ménagères et de la quantité recyclée: résultat, les ordures triées ont augmenté de 19% dans tout le village à la suite de cette opération. Pourquoi? Non seulement parce qu'un autre déterminant majeur de nos choix, c'est la norme sociale, également appelée «effet de pair», mais aussi parce que le petit «coup de pouce» de la note distribuée dans les foyers nous incite à changer notre comportement. Eh oui, nous avons une tendance naturelle à imiter le comportement de nos amis, voisins, collègues.

C'est cette tendance qui fait l'objet de la théorie du *nudge marketing* (marketing coup de pouce ou incitatif): donner des raisons d'agir, de changer de comportement. Nous sommes aujourd'hui bombardés de publicités, de campagnes de marketing ou de campagnes sociétales qui visent à nous vendre un produit ou un service, à modifier notre vision d'un enjeu de société, à changer notre comportement. Les publicitaires ont découvert qu'il est de plus en plus difficile d'imposer un message ou de « forcer » le consommateur ou le citoyen à poser un geste, qu'il soit commercial ou social.

Les « *nudges* » (coup de coude ou de pouce, en français) sont des incitations non obligatoires qui visent à rendre le comportement du consommateur plus vertueux. La plupart du temps, on « *nudge* » dans un souci de chasse au gaspillage, pour faire des économies ou profiter d'une meilleure image. En bref, vendre une idée sans contraindre. L'ambition de ce procédé est d'aider les individus à faire de meilleurs choix. Il s'agit de coups de pouce non contraignants qui modifient nos comportements, sans créer d'interdit.

À l'origine du concept, un économiste, Richard H. Thaler, et un juriste, Cass R. Sunstein. Leur thèse : en tant que citoyens consommateurs, nous sommes très loin de faire des choix rationnels et vertueux. Par exemple, plusieurs fument même si les dangers du tabac sont bien connus. Et une campagne d'information, aussi efficace soit-elle, ne suffit pas toujours à faire « écraser ». L'ouvrage des deux Américains, publié en 2008, *Nudge Improving Decisions about Health, Wealth and Happiness*, est devenu un *best-seller* et a inspiré les politiques publiques menées par l'administration Obama (*Nudge* : la méthode douce pour inspirer la bonne décision). Le premier ministre anglais, David Cameron, a créé une *nudge unit* dès 2010, dirigée par Richard Thaler. Il a été imité en 2009 par Barack Obama, qui a embauché Cass Sunstein pour diriger sa *nudge squad* sur des questions liées à la santé et à l'économie.

Aujourd'hui, avec la démonstration grandissante de l'efficacité de cette façon de procéder, de nombreuses marques sont en train d'explorer ce qu'on appelle le « marketing en douceur ».

QUELQUES EXEMPLES DE *NUDGES* CÉLÈBRES

- Pour promouvoir une alimentation équilibrée et lutter contre l'obésité des enfants, certaines cantines scolaires ne privent pas les enfants des desserts les plus riches en calories : elles se contentent seulement de rendre les fruits plus accessibles que le reste sur les tablettes. Résultat : l'effort supplémentaire à fournir pour se procurer les gâteaux a fait augmenter la consommation de fruits.

- Pour faire diminuer la pollution par les sachets en plastique, il est plus efficace de ne pas en mettre à disposition aux caisses des magasins : les clients se voient ainsi obligés à en faire la demande. Un coup de pouce qui s'est avéré bon pour la planète (et pour les économies des grandes surfaces).

- Pour réduire leurs frais de messagerie, les banques, plutôt que d'envoyer des factures papier par la poste tout en incitant les gens à les recevoir par courriel, font payer une somme marginale pour la facture papier. Le coût apparaissant sur la facture incite fortement le client à appeler immédiatement pour la recevoir par courriel.

- Pour inciter ses clients à réutiliser les serviettes, un hôtel a apposé une affichette où il est écrit : « 75 % des personnes ayant occupé cette chambre avant vous ont utilisé leurs serviettes de bain plusieurs fois. Vous pouvez vous joindre à leur nombre en réutilisant vos serviettes durant votre séjour. Vous protégerez ainsi l'environnement. » Résultat : de 40 à 50 % plus de clients ont réutilisé leurs serviettes.

- Avez-vous remarqué la présence d'un objet ludique au fond de certains urinoirs ? Une mouche, une cage de but de soccer, etc. Pourquoi ? Pour encourager les hommes à mieux viser afin de réduire les dépenses de nettoyage. Elles ont diminué de 80 % à l'aéroport Schiphol d'Amsterdam grâce à ce système.

MARQUE

POURQUOI SOMMES-NOUS TANT ATTIRÉS PAR LES MARQUES ?

Par définition, la marque, c'est une série d'associations et d'images liées à un produit, une entreprise, un concept, etc. C'est ni plus ni moins qu'un un espace mental dans la tête du consommateur. Les marques créent ces univers de valeurs et de significations pour créer des distinctions et faire valoir une entreprise ou un produit par rapport à la concurrence. Quelle est la différence entre un jeans Levi's et un autre de marque inconnue ? Le jeans Levi's inspire l'authenticité, le travail bien fait et la durabilité... Sans les marques, nous achèterions toujours le produit le moins cher et peu d'entreprises seraient portées à l'innovation, étant trop rapidement imitées par leurs compétitrices.

Ces images que nous nous formons à l'égard d'une marque sont souvent engendrées par son logo, qui devient en quelque sorte son visage. Mais ce visage ne se limite pas à la pomme d'Apple ou à l'arche jaune de McDonald's, une marque peut aussi être reconnaissable à la forme de son produit (la bouteille de Coca-Cola) ou à un son bien reconnaissable (les trois notes des processeurs Intel).

Les *jingles* publicitaires, les slogans et tous les autres signes qui visent à distinguer les marques entre elles contribuent à la construction de ces associations mentales. Dans le fond, qu'est-ce qui fait vraiment la différence entre un shampoing et un autre ? Lorsque l'on franchit la porte d'une pharmacie, par exemple, à la recherche d'un shampoing, le contenu de la bouteille n'est pas le seul facteur qui nous pousse à l'achat. Les couleurs, le design du contenant et l'image que l'on a de la marque sont autant de facteurs qui nous incitent (ou pas) à prendre le produit entre nos mains. En achetant un produit, on achète aussi une « promesse » de marque ou un ensemble de valeurs : le shampoing que j'utilise doit aussi me permettre de me rapprocher un peu plus de l'idéal que véhicule la marque.

En bref, une marque est avant tout un ensemble de signes distinctifs construits par des experts de l'image et du marketing. Prenons un exemple aussi banal que la lessive : n'avons-nous pas vu naître en nous, avec le temps, un attachement à une marque particulière ? Son odeur, la couleur de l'emballage et l'image qu'elle projette nous poussent à acheter toujours la même, quitte à payer un peu plus cher. Et le fait est encore plus vrai pour des produits technologiques (téléphones, ordinateurs) ou pour des voitures.

Plusieurs classements établissent chaque année la valeur économique des marques. La valeur d'une marque repose sur la perception qu'en ont les consommateurs, mais aussi sur le degré d'innovation de chacune, sur sa puissance économique, etc. C'est le palmarès d'Interbrand qui est devenu la référence dans l'industrie publicitaire. En 2014, Apple trônait au sommet des marques les plus puissantes avec une valeur estimée à 118 milliards de dollars. Dans le top 5, Google, Coca-Cola et IBM sont des marques dont la valeur excède les 50 milliards de dollars.

Au cours des dernières années, les entreprises technologiques comme Amazon, Facebook ou eBay ont connu les plus fortes hausses, reflétant ainsi la part croissante que la consommation technologique occupe dans nos vies connectées. Comme on peut s'y attendre, les banques et assurances peinent à se hisser en tête de classement : elles ne sont pas des « *love brands* » comme Apple ou Disney, marques auxquelles les consommateurs accordent une valeur émotionnelle plus grande qu'aux produits des industries peu différenciées. Le succès d'une marque comme Apple ? C'est justement le travail mis sur la marque elle-même : du design à la mise en scène de l'annonce des nouveaux produits, une marque, c'est d'abord une histoire de communication !

LE SAVIEZ-VOUS ?

Voici le classement des marques les plus puissantes en 2014, selon Interbrand :

Apple
Coca-Cola
IBM
Microsoft
GE
Samsung
Toyota
McDonald's
Mercedes-Benz
BMW

MARQUE MAISON

DOIT-ON PAYER POUR LA « VRAIE » MARQUE ?

Le Choix du Président, Sans nom, Life, Personnelle : présentes dans toutes les épiceries et les pharmacies (et même les quincailleries), les marques maison sont de plus en plus populaires. Quelle est la différence entre une « vraie » marque et une marque maison ?

En payant moins pour des produits sur lesquels leur emprise est totale (contenu, emballage, image etc.), les détaillants peuvent les revendre moins cher tout en faisant plus d'argent. Dans le meilleur des mondes, lorsqu'elles sont appréciées, ces marques peuvent attirer des clients et devenir des produits d'appel pour un détaillant. Il en va ainsi pour plusieurs quincailleries qui offrent une marque maison d'outils prisée de leurs clients. C'est aussi une stratégie répandue dans le milieu de l'alimentation, où la différence entre les bannières est parfois mince. Cette tendance a pris ancrage sur les tablettes dans les années 1980, avec l'arrivée d'une foule d'imitations de produits, vendues pour une fraction du prix. Cette stratégie de copie représente encore une part importante des marques maison, et ces produits se vendent de 20 à 30 % moins cher que ceux des marques connues qu'ils imitent.

L'omniprésence des marques maison et la qualité appréciable de plusieurs d'entre elles ont séduit des consommateurs à la recherche du meilleur prix. À titre d'exemple, les ventes de produits alimentaires de marques maison étaient estimées à près de 11 milliards de dollars au Canada en 2009, soit environ le cinquième de tous les aliments et boissons vendus dans les supermarchés. Cette généralisation du phénomène est expliquée par une tendance forte : la volonté de payer moins cher pour des produits à faible implication, auxquels nous accordons peu d'importance (le sel, le sucre, le beurre, etc.).

Si les marques maison se sont forgé un espace intéressant dans plusieurs catégories de biens de consommation courante, elles peinent à percer dans des catégories où les consommateurs sont très attachés à la marque. En effet, les marques maison restent en deçà de 1 % sur le marché des cigarettes et des produits alcoolisés.

CE N'EST PAS FINI...

De plus en plus de consommateurs estiment que la différence entre les marques maison et nationales ne justifie pas la différence de prix. Et *Consumer Report* estime qu'ils ont raison. Le magazine américain des consommateurs effectue périodiquement des tests de goût à l'aveugle entre des marques maison et leurs compétiteurs nationaux, et constatent que les préférences vont généralement aussi bien dans un sens que dans l'autre. En 2013, les experts goûteurs du magazine ont estimé que 37 des 53 produits de marque nationale soumis au test avaient un équivalent générique de qualité égale ou supérieure.

Malgré une croissance déjà soutenue depuis 2000, les spécialistes estiment que les consommateurs pourraient acheter encore plus de produits génériques. À titre de comparaison, en Europe, c'est plus de un bien de consommation courante sur quatre qui est de marque maison. Aussi, la ligne est de plus en plus mince entre les marques maison et les marques nationales. Dans l'univers de la mode, par exemple, la majorité des détaillants de vêtements vendent leur propre marque, et de nombreux fabricants gèrent leur propre réseau de détail. La Maison Simons, par exemple, vend de très nombreuses marques, mais elle mise avant tout sur ses marques maison : Twik, Icône, Le 31, DJAB...

LES PHARMACIENS ACHÈTENT LES MÉDICAMENTS DE MARQUE MAISON

Une récente étude[1] explique que plus un consommateur possède d'information sur une catégorie donnée, plus il a de chances d'acheter la marque maison. En d'autres mots, les experts ne veulent pas payer pour la marque. En effet, 91 % des pharmaciens recensés par l'étude avaient préféré l'aspirine de marque maison. En restauration, la proportion des chefs (77 %) qui choisissent la marque générique pour les ingrédients de base (sucre, sel, soda) est supérieure à celle qu'on observe dans la population (60 %). Comme quoi les marques maisons ne se limitent pas à ceux qui n'ont pas les moyens d'acheter les « vraies » marques.

1. Do Pharmacists Buy Bayer ? Informed Shoppers and the Brand Premium (http://faculty.chicagobooth.edu/jesse.shapiro/research/generics.pdf).

QUIZZ

Associez les marques maisons suivantes à leur magasin respectif :

A. Choix du Président	**1.** Métro
B. Sélection Mérite	**2.** Pharmaprix, rayon des produits de beauté
C. Personnelle	**3.** Loblaws-Provigo
D. Sans nom	**4.** Outils Rona
E. Haussmann	**5.** Simons
F. Quo	**6.** Jean Coutu
G. Nos compliments	**7.** Costco
H. Le 31	**8.** IGA
I. Kirkland	**9.** Loblaws-Provigo

Réponses : A-3, B-1, C-6, D-9, E-4, F-2, G-8, H-5, I-7.

MÉDIA-MARQUE

ASSISTE-T-ON À UNE CONFUSION DES GENRES?

Alors que les médias du monde entier s'organisent comme des marques pour se distinguer de la concurrence, les Red Bull, American Express et plusieurs autres veulent se positionner comme des producteurs de contenus… C'est le monde à l'envers?

Début 2014, les dirigeants du quotidien français *Libération* ont annoncé vouloir transformer leurs bureaux actuels, avec l'aide du designer Philippe Starck, en «un espace culturel et de conférence comportant un plateau de télé, un studio de radio, une salle de nouvelles numérique, un restaurant, un bar, en misant sur "la puissance de la marque *Libération*"». Non loin de là, aux Pays-Bas, le quotidien phare *NRC Handelsblad* a déjà fait le saut et emménagé dans un bâtiment qui abrite désormais un bar, un restaurant, une librairie et un centre culturel. *The Guardian,* un grand quotidien britannique, possède son propre café. Et le fondateur de *Wallpaper,* Tyler Brûlé, utilise la marque de son réputé magazine de design, d'affaires et de culture, *Monocle,* pour ouvrir une boutique, en plus de produire du contenu en collaboration avec des marques internationales et de diffuser une émission de radio.

Que faut-il voir dans cette volonté grandissante des médias de se positionner comme des marques? Les modèles d'affaires des médias changent à une vitesse fulgurante, et la transformation dure depuis plusieurs années. Les annonceurs n'achètent plus seulement de l'espace publicitaire, mais surtout une marque et un lectorat cible ; les revenus des modèles Web et mobiles ne sont pas toujours au rendez-vous ; les médias 100 % Web comme Twitter et Yahoo arrachent des journalistes à de grands médias comme le *New York Times* ou la CBC ; le Web des images force les rédactions à penser autrement. Les gestionnaires de certains médias ont réalisé que la cote d'amour de leur marque était plus grande que sa rentabilité. Personne ne veut que le *Devoir* disparaisse, mais ses lecteurs ne sont pas légion. Comment faire alors pour diversifier les sources de revenus de ces marques ? Dans un monde où l'info est gratuite et accessible à tous, c'est de plus en plus difficile. Bâtir une marque forte et une communauté de fidèles semble devenir un passage obligé pour survivre. Pour ces fidèles, la plateforme n'a plus d'importance. C'est le contenu, et seulement le contenu qui compte.

De l'autre côté du spectre, les marques, elles, veulent devenir des médias (ou du moins s'en rapprocher) parce que le contenu est bien plus séduisant que les discours strictement publicitaires auxquels nous sommes habitués et qui éveillent notre méfiance. Les bonnes histoires font vendre. Red Bull l'a bien compris, au point de devenir une des marques les plus habiles dans la production de contenus, avec sa division Red Bull Media House, division qui produit du contenu autour des valeurs fortes de la marque. Le saut dans l'espace de Felix Baumgartner représente un bel exemple de coup de contenu publicitaire réussi. Les médias servent d'amplificateurs à ces opérations publicitaires à mi-chemin entre message de marque et divertissement. Aux États-Unis, la marque American Express propose une chaîne de télévision câblée offerte à plus de 50 millions d'abonnés. On voit aussi de plus en plus d'émissions de télé financées en grande partie ou en totalité par une marque. Ces contenus reflètent souvent les valeurs de l'annonceur. On se souvient de *Cast Away,* un film mettant autant en vedette Tom Hanks que la philosophie de Fedex. Assistons-nous à un retour des *soap operas* ?

Quel est le danger pour l'information ? Une marque qui ne proposera qu'une infopub déguisée en contenu n'aura pas beaucoup de chances d'attirer l'attention. Le nerf de la guerre, c'est ce qui intéressera le public. Pour le moment, les médias ont encore les moyens de mobiliser des journalistes à qui l'éthique professionnelle interdit de s'associer à une marque. Mais pour combien de temps ? Il existe de nombreux transferts de savoir entre les médias et les marques, qui s'associent de plus en plus à des médias pour des projets éditoriaux spéciaux (*Monocle* en a fait l'une de ses sources de revenus). Aux États-Unis, les propriétaires de sites comme Amazon ou eBay sont en train d'investir dans des entreprises médias : First Look pour Pierre Omidyar (eBay) et Glen Greenwald, ancien de *The Guardian,* et *Washington Post* pour Jeff Bezos (Amazon), ce qui laisse entrevoir de nouvelles avenues quant aux modèles d'affaires, tout en soulevant d'importantes questions sur la crédibilité de l'information, la diversité de la presse et la liberté éditoriale de ces médias.

LE SAVIEZ-VOUS ?

Le magazine *Qu'est-ce qui mijote* ?, créé par Kraft Foods, a été pendant de nombreuses années le plus lu au Québec (1 245 000 lecteurs), bien qu'il soit rédigé entièrement par une marque. En 2014, c'est le magazine *Touring,* conçu par CAA Québec et distribué gratuitement, qui a remporté la palme du magazine le plus lu (1 245 000 lecteurs).

MONSIEUR B

COMMENT EST NÉ LE PERSONNAGE LE PLUS CONNU DE LA PUB QUÉBÉCOISE ?

Au début des années 1990, Bell était présente dans la quasi-totalité des foyers québécois. Les voies de la croissance pour l'entreprise de télécommunication consistaient dans les services optionnels payants comme l'afficheur, l'appel en attente et la boîte vocale. Or, les consommateurs qui connaissaient ces services n'y voyaient généralement que peu d'utilité. Les produits étant nombreux et immatériels, l'agence de publicité Cossette a proposé une campagne mettant en vedette un personnage qui expliquait l'utilité des nouvelles fonctionnalités de Bell. C'est un comédien alors peu connu, Benoît Brière, qui fut choisi pour incarner ce « porte-parole ».

En créant un personnage et un univers distinct, on s'assure que tout le monde reconnaît Bell du premier coup d'œil. Par ailleurs, ce type de campagne permet d'établir une familiarité grandissante avec le personnage. Bien que les premiers messages aient été tièdement accueillis par le public, qui trouvait Monsieur B froid et un peu condescendant, la deuxième année de campagne, avec l'apparition des différents personnages campés par Brière, a fini par gagner le cœur des Québécois, si bien qu'au milieu des années 1990, Monsieur B a pulvérisé les records d'appréciation.

L'étude *Dominance* lui a même attribué une note cinq fois supérieure à l'ancien record, détenu par un autre porte-parole, Claude Meunier, pour son jeu délirant dans les messages pour Pepsi.

La campagne aura duré 14 ans et totalisé 112 messages, elle nous aura fait découvrir de nombreux personnages plus fous les uns que les autres… C'est Bell qui a mis fin à la plateforme dans l'espoir de remettre l'accent sur ses produits plutôt que sur le beau-frère maladroit, la mère intrusive ou l'ado très… adolescent. Dans un monde de télécommunication et de publicité où tout se passe très rapidement, 14 ans, c'est toute une carrière.

MUSIQUE

LES ARTISTES SONT-ILS DES MARQUES COMME LES AUTRES ?

Dans l'industrie musicale, artistes et maisons de disques doivent rivaliser d'ingéniosité pour faire face à la dématérialisation croissante de la musique. Selon l'institut Nielsen SoundScan, 1,26 milliard de pièces musicales ont été vendues en ligne en 2013 (iTunes étant en tête des parts de marché) contre 165,4 millions de disques physiques, la vente en ligne progressant plus rapidement que celle des disques. Et c'est sans compter les sites de *streaming*, qui permettent d'écouter de la musique moyennant un forfait mensuel, à la maison comme sur le téléphone cellulaire.

Pour se distinguer, faire parler d'eux et créer leur « marque », les artistes musicaux rivalisent de campagnes marketing et d'opérations publicitaires qui visent à attirer l'attention sur leur musique, mais aussi à revaloriser l'objet CD. Faute de pouvoir investir massivement, les musiciens optent souvent pour des coups d'éclat, appelés dans leur jargon des *stunts*.

En 2014, le groupe de rap américain Wu-Tang Clan a annoncé que son nouvel album serait tiré à UN seul exemplaire. L'objectif, un coup médiatique, était de faire entrer la musique populaire au musée, de la transformer en performance et de faire de son support négligé une pièce de valeur. C'était un fameux clin d'œil, étant donné que la musique est de plus en plus téléchargée, légalement ou non. Le CD devient un objet à collectionner, tout comme les vinyles, qui retrouvent leur popularité. Selon le magazine américain *Forbes*, l'album *The Wu – Once Upon a Time in Shaolin* sera encastré dans un coffret d'argent réalisé par l'artiste anglo-marocain Yahya, et fera, avant sa vente, la tournée des musées. Les visiteurs ayant payé leur ticket d'entrée auront la possibilité d'écouter les 31 pièces qui composent ce qui pourrait devenir l'album le plus cher de tous les temps. Convaincu que la rareté fait le prix, le Wu-Tang Clan estime que son album unique pourrait se vendre pour «plusieurs millions de dollars». Cet album de 128 minutes et de 31 chansons, on ne pourra l'écouter que sur place, dans un musée ou une galerie où la pièce sera exposée et où il faudra débourser entre 30 et 50 dollars.

Même type d'opération quelques mois auparavant pour le rappeur Jay Z. Une entente de cinq millions de dollars a permis à Samsung de sortir son album avant tout le monde et de le rendre disponible gratuitement pour un million de ses clients. Plus récemment encore, le groupe U2 a conclu un accord avec Apple pour que son plus récent album soit distribué gratuitement à tous les utilisateurs d'iTunes. Pour les artistes, c'est une autre façon de monétiser leur musique et, pour les marques comme Samsung et Apple, de proposer une plus-value unique à ses clients, espérant les garder fidèles à leur marque.

Lady Gaga est l'exemple même du *stunt* publicitaire : chacune de ses apparitions est orchestrée comme un lancement de produit, chacun de ses clips se veut viral. De plus en plus d'artistes populaires, comme Madonna, signent des contrats avec des organisateurs de concerts plutôt qu'avec des maisons de disques traditionnelles. Le but ? Faire de l'argent avec les billets des spectacles, toujours plus coûteux, ainsi qu'avec les produits dérivés plutôt qu'avec la vente de disques physiques. Ici, au Québec, les artistes testent de nouvelles formules pour vendre leur musique : le groupe Misteur Vallaire a offert son album en échange d'une contribution volontaire, le chanteur Pierre Lapointe offrait gratuitement son disque à ceux qui avaient payé leur entrée à son concert de lancement et Arcade Fire, pour lancer son album *Reflector,* avait placardé le Web avec une campagne publicitaire mystère qui révélait la date du lancement.

Les chanteurs sont aussi des marques, après tout !

NARCISSISME

LA GÉNÉRATION MOI ?

Les réseaux sociaux permettent à chacun de se faire voir et valoir. De plus en plus de personnes nourrissent leur ego à coups de « j'aime » ou de « partages » en ligne. Les réseaux sociaux ont répandu la notion de « marque personnelle » à un peu tout le monde. Aujourd'hui, à peu près n'importe qui peut se fabriquer une image et espérer accéder au statut de célébrité. De Perez Hilton, la *star* américaine des potins sur Internet, à Tavi Gevinson, qui s'est fait connaître à 12 ans grâce à son blog, en passant par Garance Doré, la reine du *streetstyle,* tous ont construit leur identité comme une marque de commerce. Résultat ? Des marques de grande consommation veulent s'associer à ces personnages influents sur la toile.

En 2013, on a pu assister à la consécration des *selfies* (égoportraits), néologisme qui a fait depuis son entrée dans le dictionnaire Oxford. Sur Instagram, pour la seule année 2013, le nombre d'échanges de photographies prises à bout de bras s'élève à plus de 56 millions. D'Hillary Clinton aux inconnus du Web, c'est une tendance que même les marques récupèrent en publicité. Pendant la cérémonie des Oscars en 2014, le commanditaire Samsung a mis entre les mains de la maîtresse de cérémonie,

Ellen DeGeneres, un de ses téléphones dernier cri. Bilan : un *selfie* avec les plus grandes *stars* de la soirée, de Kevin Spacey à Meryl Streep, et partagé plus de 37 millions de fois. D'un point de vue publicitaire, les retombées de cette opération sont estimées à près d'un milliard de dollars, tant la visibilité a été importante.

On comprendra pourquoi les publicitaires exploitent de plus en plus ce filon « narcissique » des consommateurs : jeu-concours de marques de vêtements où l'on doit se prendre en photo et faire suivre sur les réseaux sociaux, valorisation en cadeau de la recommandation à ses pairs, et même démonstration de charité et d'eau glacée. Notre soif de se montrer est devenue le support publicitaire de bien des marques !

LE SAVIEZ-VOUS ?

Le bâton à *selfie* a fait son apparition et est de plus en plus visible dans les endroits touristiques, principalement en Asie. Cette perche à caméra qui vous permet de vous prendre en photo un peu partout est surnommée par plusieurs le *Narcis Stick.*

Shawn Megira est un adolescent américain de Long Island qui a 81 000 *followers* sur Instagram. Il n'est ni chanteur pop, ni comédien télé, seulement un simple adolescent qui met sur le Web des photos de lui et de ses amis. En quelques années, il est devenu, comme de nombreux utilisateurs d'Instagram ou de Twitter, une personnalité des réseaux sociaux. C'est ce que raconte le minidocumentaire *Instafame,* disponible sur le Web (https://vimeo.com/86023743).

NEUROMARKETING

QU'EST-CE QUE NOTRE CERVEAU RÉVÈLE AUX PUBLICITAIRES ?

Imaginez que l'on vous mette des dizaines d'électrodes sur la tête pour déceler vos émotions à la vue d'un produit ou d'une publicité... Non, ce n'est pas de la science-fiction !

La majorité des outils actuels du marketing s'appuient sur le comportement observé ou déclaré. On demande aux consommateurs leurs motivations. Mais comprenons-nous nos propres motivations ? Et sommes-nous prêts à les avouer à un sondeur ou dans un groupe de discussion ? Cette limite du marketing « classique » a fait en sorte que les publicitaires ne parviennent pas à expliquer avec certitude les motivations des consommateurs.

De fait, malgré le recours à des techniques de vente très développées issues de la recherche en marketing, le lancement de la très grande majorité des nouveaux produits aboutit à un échec. Une étude récente dévoilait que 72 % des produits lancés sont retirés du marché moins d'un an après leur lancement[1]. Ce chiffre montre que les annonceurs peinent encore à sonder et à comprendre les motivations inconscientes des consommateurs.

NEUROMARKETING

On sait aujourd'hui qu'une foule de nos décisions d'achats sont prises de façon totalement inconsciente. C'est pourquoi les publicitaires se tournent de plus en plus vers le neuromarketing pour tenter de décrypter nos comportements de consommateurs. Le neuromarketing est l'application au commerce des moyens de faire ressortir les mécanismes cérébraux entrant en jeu dans la communication, l'achat ou l'utilisation d'un produit. Que ce soit grâce à l'imagerie par résonnance magnétique (IRM), à la biométrie ou à l'électroencéphalographie (EEG), la technologie de pointe est mise au service de l'étude des consommateurs.

EST-CE TRÈS RÉPANDU ?

La recherche neurologique n'est pas la mesure la plus abordable. Seules les grandes entreprises disposant d'importants budgets peuvent investir dans ce type de recherche. Si bien que les firmes importantes sont situées aux États-Unis et que la plupart des publicitaires québécois n'ont jamais eu accès à ces pratiques. Mais peu importe, puisque le neuromarketing a démontré que notre cerveau est plus universel que nos comportements très influencés par la culture. Si bien qu'il suffit d'effectuer la recherche « neuro » dans un seul marché et d'en appliquer les résultats à l'ensemble du globe.

NOTRE CERVEAU DIT-IL TOUTE LA VÉRITÉ ?

L'objectif du neuromarketing est de faire des constatations empiriques sur le cerveau. En 2004, une étude menée auprès de 67 individus ayant dégusté à l'aveugle du Coca-Cola et du Pepsi dans un appareil d'imagerie par résonnance magnétique – pour mesurer les réactions de leur cerveau – a révélé que le Pepsi provoquait des réactions beaucoup plus importantes que le Coca-Cola. De fait, il stimule une partie bien particulière du cerveau liée au plaisir, le putamen. Résultat ? La moitié des sujets ont préféré Pepsi lors de cette séance de dégustation. Or, lors d'une deuxième dégustation où les buveurs connaissaient le contenu de leur verre, 75 % d'entre eux ont déclaré préférer la canette rouge. Cette fois-ci, c'est leur cortex préfrontal, siège de la conscience, qui a réagi fortement. Ce qui a fait dire aux chercheurs que les consommateurs choisissent Coke pour des raisons qui sont davantage liées à leur expérience et leurs souvenirs de la marque qu'à la préférence de leurs papilles. Et si nos décisions d'achats étaient moins rationnelles que nous le pensions[2] ?

1. www.simon-kucher.com/en-us/news/72-percent-all-new-products-flop.
2. McClure et coll. *Neural Correlates of Behavioral Preference for Culturally Familiar Drinks*, 44(2), p. 379-387.

NOSTALGIE

COMMENT LES PUBLICITAIRES EXPLOITENT-ILS NOS SOUVENIRS POUR VENDRE DES PRODUITS ?

De la PT Cruiser au retour des martinis, de la culture *Mad Men* aux chaînes *hi-fi* au design d'autrefois, la nostalgie est une émotion très puissante qui permet de bâtir des connexions riches entre nos sentiments et nos souvenirs. La nostalgie peut entraîner une foule d'émotions positives comme la tolérance, la générosité et le sentiment d'appartenance, alors que c'est souvent la solitude, l'ennui ou l'anxiété qui la déclenchent. En quelque sorte, la nostalgie est notre mécanisme de défense contre des émotions négatives, que nous remplaçons par des souvenirs positifs.

Comme la publicité cherche à créer un environnement émotif positif autour d'un produit, les publicités mettent en scène des éléments que nous aimons ou auxquels nous sommes attachés. C'est pourquoi autant de marques choisissent de faire appel à des images chargées de souvenirs dans leur communication, quand ce n'est pas directement dans la conception des produits. En bref, la nostalgie rassure et attire. Chrysler a bien compris l'importance de la nostalgie en dessinant, au tournant des années 2000, son célèbre véhicule rétro, le PT Cruiser.

Dans le cas des marques établies, le volet nostalgique est quasi omniprésent. Nous ne comptons plus les souvenirs qu'évoquent en nous Coca-Cola, Jack Daniel's, McDonald's, Lego ou Québon…

LES MARQUES JEUNES PEUVENT ÊTRE NOSTALGIQUES

Il n'est pas nécessaire d'avoir une histoire centenaire comme Levi's ou Coca-Cola pour jouer la carte de la nostalgie. En effet, Sony (fondée en 1946) a lancé sa PlayStation 4 avec une campagne mettant en vedette l'évolution de ses consoles depuis le lancement de la première PlayStation, en 1994. Au cours des 20 dernières années, une génération de jeunes a noué avec la marque des souvenirs et des associations émotives, et Sony estime ces liens assez forts pour encourager ses fidèles à se procurer le dernier modèle.

LA NOSTALGIE, SURTOUT LORS DES PÉRIODES DE CÉLÉBRATION

La Saint-Valentin, le temps des fêtes et les autres célébrations de notre calendrier sont des moments tout désignés pour les campagnes nostalgiques. C'est à l'occasion de ces moments que nous sommes le plus sensibles aux rituels, à la résurgence des souvenirs et aux liens sociaux. Cette recherche romantique de liens entraîne parfois un sentiment de manque ou de déconnexion avec le passé. Les marques peuvent en profiter pour faire office de pont entre notre vie moderne et ces souvenirs que nous cherchons à garder bien vivants.

QUAND LA NOSTALGIE DEVIENT UN FREIN À LA CROISSANCE...

L'importance des fêtes dans la nostalgie peut avoir pour effet de restreindre durant les autres jours la vente des produits étroitement associés à leurs rituels. Ainsi, quand on aime beaucoup un produit et qu'il fait partie de notre rituel de Noël, il lui devient difficile de sortir de ce rôle pour entrer dans notre consommation habituelle. Par exemple, le Oka se positionne de plus en plus dans le quotidien et la tradition avec des campagnes qui se distancient des moines et des célébrations de Noël, au profit de situations modernes, simples et quotidiennes. Et ça fonctionne ! Les marques nostalgiques doivent donc trouver un équilibre entre le passé et la consommation courante.

NOUVEAUX PRODUITS

POURQUOI LA TRÈS GRANDE MAJORITÉ DES NOUVEAUX PRODUITS SONT-ILS DES ÉCHECS COMMERCIAUX ?

Quand la marque de bière Kronenbourg a fait la constatation que les femmes buvaient beaucoup moins de bière que les hommes, elle a décidé de créer un produit parfait pour elles : la bière K, une bière légère destinée aux femmes. Quelque temps après sa mise en marché, le produit a été retiré. Bilan : échec total. Les femmes ne veulent pas d'une bière « féminine ».

Selon une récente étude du cabinet Simon-Kucher & Partners, ce serait 72 % des lancements de produits commerciaux dans le monde qui n'atteignent pas leurs objectifs. Avec les sommes imposantes investies en recherche, en études, en marketing et en publicité, comment se fait-il que la majorité des nouveaux produits mis en marché ne fassent pas mouche ? Le premier facteur de leur échec, c'est le prix : la concurrence entre les marques et les produits est tellement rude qu'un produit mal positionné sous l'angle du prix aura très peu de chances de survivre. Ensuite, c'est le produit lui-même : y a-t-il vraiment une clientèle pour l'acheter ? Est-ce vraiment une bonne idée ? Bien souvent, les efforts marketing pour vendre un produit sont sous-estimés ; bien des entreprises pensent que le produit fera à lui seul son petit bout de chemin. Enfin, un troisième grand facteur, c'est la distribution : plusieurs marques incapables de faire leur place dans les chaînes de distribution habituelles espèrent que les consommateurs feront un détour pour acheter leur produit. Or, il est très difficile de changer les habitudes de consommation des gens et la présence sur la tablette est essentielle à la réussite d'un nouveau produit.

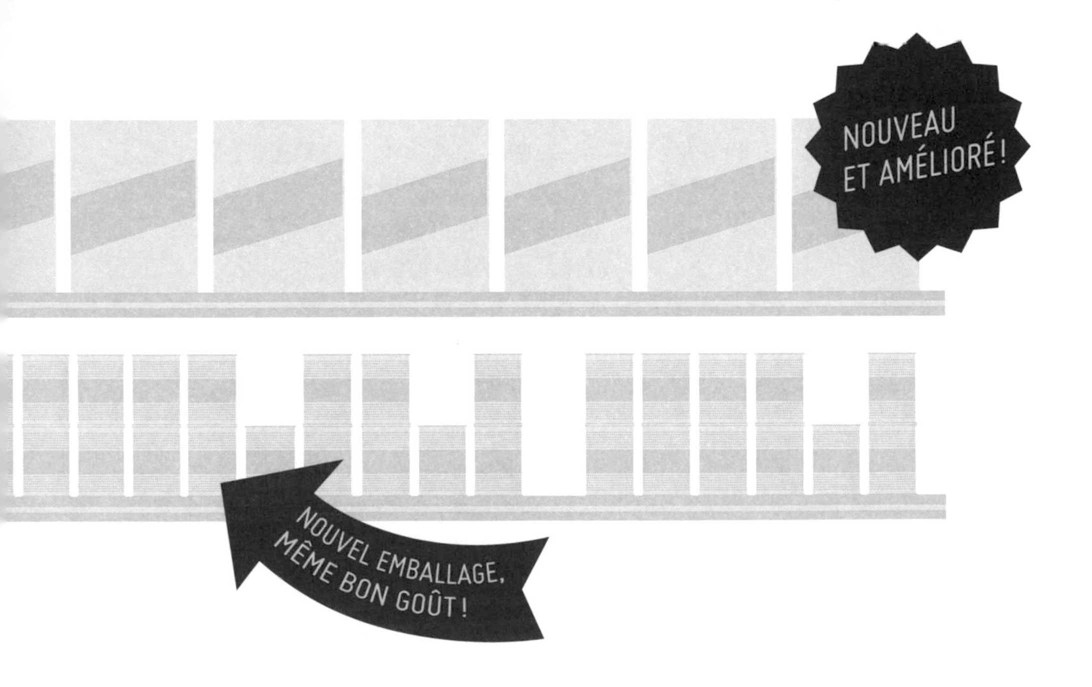

0000182

LE SAVIEZ-VOUS ?

Plusieurs échecs de produits sont devenus des cas d'école.

Le « *new* » Coke : Dans les années 1980, Coca-Cola a voulu insuffler du nouveau dans son produit phare pour mieux répondre aux attaques de Pepsi. Une nouvelle recette, et une campagne majeure de communication. Le nouveau Coca-Cola a pourtant été un échec lamentable. Il a entraîné de nombreuses plaintes de consommateurs et les boycottages se sont multipliés un peu partout aux États-Unis. Moins de trois mois après le lancement du nouveau Coke, on annonçait le retour du Coca-Cola Classic.

Les petits pots Gerber pour adultes : Aux États-Unis, Gerber est une marque qui produit des aliments pour bébés. Voulant étendre sa marque et cibler les célibataires qui mangent souvent seuls à la maison, la marque a lancé Gerber Singles, des pots préparés… pour adultes. Le produit a été rapidement retiré des tablettes !

Le manque de logo de Tommy Hilfiger : Dans les années 2000, la marque de vêtements américaine a voulu relancer des ventes qui baissaient en retirant les logos de ses vêtements, pensant ainsi se donner une image plus haut de gamme. Mauvais calcul. Les ventes ont baissé davantage : les clients ne reconnaissaient plus la marque et ses produits ressemblaient trop à d'autres déjà offerts sur le marché.

OBAMA

COMMENT UN SÉNATEUR PEU CONNU EST-IL DEVENU LE PREMIER PRÉSIDENT NOIR DES ÉTATS-UNIS ?

Aucun facteur ne peut expliquer à lui seul l'élection d'un président. Toutefois, dans le cas de Barack Obama, sa campagne à la Maison-Blanche (sa rude course contre Hillary Clinton dans les primaires démocrates et sa bataille contre McCain) a rappelé l'importance de la communication et de l'image dans les campagnes électorales.

D'abord, Obama a choisi le bon thème de campagne : celui du changement. Il n'était pas le premier à faire campagne sur ce thème, certes, mais personne ne pouvait mieux que lui représenter le changement aux États-Unis. Ce profil allait lui servir lors des primaires devant sa principale adversaire, qui faisait partie de l'*establishment* (ayant été première dame pendant huit ans), et lors de la course présidentielle. C'est ce rêve de changement qui est devenu le moteur de la campagne Obama.

Obama a également décidé de ne pas faire campagne de manière traditionnelle. Comme certaines tranches de l'électorat, certains comtés, certaines villes étaient imprenables, l'équipe Obama a misé la totalité de ses ressources sur les cibles et les régions où les gains étaient possibles. Avec cette approche de microciblage, elle a pu compenser la force de frappe de Clinton et, surtout, elle a entretenu son image de candidat nouveau, différent et capable de changer les choses.

OBAMA

0000184

IMPOSSIBLE DE CONVAINCRE CEUX QUI VOTENT? MOBILISONS CEUX QUI N'ONT JAMAIS VOTÉ!

C'est le petit miracle qu'a accompli l'équipe Obama lors de sa première campagne en 2008. Avec un taux de participation famélique, surtout chez les jeunes, les démocrates ont fini par juger plus rentable de mobiliser les électeurs incertains de leur participation et de favoriser le vote de nouveaux électeurs plutôt que de tenter de gagner des électeurs républicains. Ils ont aussi opté pour une stratégie de segmentation très précise qui prenait en compte les facteurs démographiques (âge, sexe, race, etc.), géographiques (en fonction des États) et comportementaux (vote). Leur stratégie semble avoir fonctionné puisqu'ils ont profité du vote de plus de 70% des Américains qui se rendaient aux urnes pour la première fois. Mais l'élection d'Obama est aussi la victoire des groupes d'électeurs moins bien représentés dans la force politique américaine. Plus de jeunes, de Noirs, d'hispanophones, de femmes et d'électeurs ruraux ont appuyé Obama. C'est la somme de plusieurs petites minorités qui a donné les clés de la Maison-Blanche à Barack Obama.

Finalement, l'importance accordée à la communication sur les médias sociaux pour atteindre un public d'électeurs plus jeunes et influents ainsi que l'utilisation de visuels forts ont contribué à construire l'image d'un président différent, bien de son temps, qui pouvait être une solution de remplacement intéressante contre les autres candidats qui avaient opté pour une communication plus «traditionnelle». Logos, affiches, slogans, codes couleurs: tout a été pensé par l'équipe de communication pour gérer la «marque» Obama comme une véritable marque de commerce.

OPPORTUNISME

LA PUB EST-ELLE MALIGNE OU RACOLEUSE ?

De temps à autre, l'actualité offre aux publicitaires et annonceurs des occasions en or de mousser leurs produits. Parfois, l'association naturelle entre l'actualité et la marque rend l'occasion incontournable. Par exemple, l'entreprise Reviveaphone a profité du lancement du iPhone 6 pour se procurer le tout premier appareil et le plonger dans un pichet de bière jusqu'à extinction. À la suite de quoi elle a utilisé son produit, une solution déminéralisante, pour le faire fonctionner à nouveau. La vidéo de l'opération a été visionnée plus de 385 000 fois en ligne (2015). Parfois, ce sont aussi des événements qui incitent les annonceurs à exploiter l'actualité aux fins de leur message. C'est souvent le cas, au Québec, pendant les séries éliminatoires, où les marques rivalisent de créativité pour s'approprier une petite part de notre passion pour le hockey. La seule série Canadiens-Bruins de 2014 a amené son lot d'entreprises sur le territoire du hockey. Bell a fait un clin d'œil à ses rivaux (et à ceux du CH) avec le slogan « Le noir et le jaune n'ont jamais été nos couleurs préférées ». Boston Pizza a répété son opération de changement de nom pour Montreal Pizza. Réno-Dépot a proposé à ses clients de « planter Boston » (des fougères de Boston). Et la Cage aux sports a annoncé un bon offrant aux fans des Bruins de payer 50 %... plus cher.

Nous apprécions souvent l'esprit de repartie, même chez les publicitaires qui savent opportunément faire preuve de créativité. À Montréal, Workopolis, le site de recherche d'emploi, s'est fait remarquer au lendemain de l'élection municipale de 2014 en apposant sur les pancartes des candidats défaits des autocollants où on pouvait lire « bienvenue sur Workopolis »... Une opération qui a fait le tour des médias et qui a coûté... presque rien !

LES ANNONCEURS PEUVENT-ILS PROFITER DE TOUTES LES OCCASIONS ?

Apparemment, non. American Apparel, la marque de vêtements qui n'en est pas à une controverse près, a appris à ses dépens la limite à ne pas franchir avec son solde #SandySale proposé pendant la tempête Sandy aux États-Unis. Plusieurs ont répondu à cette campagne en publiant sur les réseaux sociaux des commentaires acerbes dénonçant l'opportunisme et le mauvais goût de la marque. Les marques doivent s'assurer de se faire remarquer sans avoir l'air de tirer profit du malheur des autres ou sans avoir l'air désespérées.

ET ÇA VA DE PLUS EN PLUS VITE

Aujourd'hui, les médias sociaux offrent aux marques des plateformes médiatiques non payantes et ouvrent la porte à la diffusion de messages dont la production est plus simple à réaliser que des panneaux d'autoroute ou des spots télé. Étant donné leur portée limitée aux adeptes de la marque, les offensives opportunistes sont généralement bien reçues. Le résultat pour la marque : un plus fort volet d'engagement.

OREO, LA PUB INSTANTANÉE

À l'occasion de son 100e anniversaire, la marque Oreo a décidé de diffuser chaque jour une nouvelle publicité liée à l'actualité. Cet exercice de création spontanée a fait d'Oreo et de son agence 360i l'équipe la mieux préparée pour réagir en temps réel. Lors de la panne de courant qui a plongé le Super Bowl dans l'obscurité en 2013, Oreo a réagi à la vitesse grand V. Moins de 10 minutes plus tard, la pub «*You can still dunk in the dark*» (Vous pouvez tremper vos biscuits, même dans le noir) apparaissait sur la page Facebook et le fil Twitter de la marque, devenant ainsi la référence de l'industrie en matière de publicité opportuniste à l'ère des médias sociaux.

PANCARTES ÉLECTORALES

A-T-ON ENCORE BESOIN D'UNE PANCARTE POUR GAGNER LES ÉLECTIONS ?

À chaque nouvelle campagne électorale, la question refait surface : les pancartes sont-elles un artefact du passé ou demeurent-elles un outil de communication efficace pour les candidats et les partis ?

C'est que chaque fois, on voit réapparaître les mêmes faces figées des candidats, avec un slogan creux, le nom de la circonscription (comme si nous ignorions où nous sommes) et les mêmes designs soporifiques… Ce sont la culture politique, la volonté de reproduire une formule gagnante et la peur de commettre une erreur à l'avantage de l'adversaire qui poussent les partis au plus grand conservatisme et à l'uniformité des pancartes. Ce n'est pas leur manque de visibilité, mais bien leur indifférenciation qui nous amène à douter de leur efficacité.

UN IMPORTANT OUTIL DÉMOCRATIQUE

Les pancartes sont un outil de nivellement en faveur des candidats les moins connus. Comme les frais de production des pancartes électorales sont moins restrictifs que les campagnes télévisées et que l'affichage est gratuit pour les candidats, la pancarte demeure le média le moins coûteux pour permettre à quiconque de faire connaître sa candidature.

MAIS LES PANCARTES PEUVENT-ELLES ÊTRE DIFFÉRENTES ?

En 2013, la dernière campagne électorale municipale de Montréal a fait grand cas des pancartes. D'abord, le candidat en tête des sondages, Denis Coderre, a fait savoir qu'il dédaignerait les pancartes... pour des raisons écologiques. Fort de sa grande notoriété acquise sur la scène fédérale, il espérait sans doute que Richard Bergeron, son principal adversaire du moment, se sentirait obligé de le suivre dans son élan écologiste et se prive du même coup d'une visibilité dont il avait grand besoin pour combler l'écart. Puis, il y a eu la percée de Mélanie Joly, une avocate qui se positionnait en faveur d'une nouvelle façon de faire de la politique. La jeune politicienne ne s'est pas contentée de dire que les choses devaient changer, elle a aussi offert des pancartes électorales représentatives de cette volonté de faire différemment. Le Groupe Mélanie Joly a choisi un esthétisme peu commun : un fond noir, une photo moins figée, un slogan jaune appliqué sur la photo de la candidate... En gagnant la guerre de la pancarte, Mme Joly s'est imposée comme une candidate crédible et est parvenue à se faire inviter aux principaux débats et sur les différentes tribunes.

L'autre exemple qui vient en tête, c'est le référendum de 1995. Alors que les pancartes du camp du non visaient à assurer les électeurs craintifs qu'ils faisaient bien partie de la majorité silencieuse, celles du oui étaient de véritables œuvres d'art que plusieurs séparatistes doivent, encore aujourd'hui, conserver jalousement.

Mélanie Joly a gagné la guerre de la pancarte lors de la campagne électorale municipale de Montréal en 2013.

Cette série d'affiches du oui, avec tantôt une Terre, tantôt une fleur et plus tard encore un huard à la place du « O », est devenu un véritable classique.

Ni Mélanie Joly ni l'option souverainiste n'ont remporté leur pari, mais leurs résultats électoraux ont sans doute été supérieurs à leurs attentes initiales… antérieures à la pose des pancartes.

PEUR

POURQUOI LA PEUR EST-ELLE L'UN DES PLUS PUISSANTS MOTEURS DE LA PUBLICITÉ ?

Souvent, la publicité nous présente un produit ou un service comme un moyen de nous affranchir de nos peurs ou comme une solution à nos craintes. Notre peur d'être malade, notre peur d'avoir un accident, notre peur de manquer de quelque chose, notre peur de vieillir… Nos peurs font vendre.

Quand l'offre est crédible et que le produit nous rassure et calme nos inquiétudes, nous sommes plus à même de dépenser. Il suffit de regarder l'écart de prix entre les sièges de bébé d'entrée de gamme et les plus coûteux, pourtant tous conformes aux normes obligatoires de sécurité de Transport Canada et estampillés de la marque nationale de sécurité[1].

La pandémie d'ebola en Guinée en 2014, amplifiée par les médias, a répandu la peur parmi les Américains. Or, cette peur a eu un effet direct sur leur consommation : dès les premières semaines, les ventes de désinfectants étaient en hausse de 13 % et celles des désinfectants à main, de 8 %. La grande gagnante de cette grande peur : Clorox, qui a vu ses ventes grimper de 28 %[2].

LE SAVIEZ-VOUS ?

Nos liens avec les produits présents autour de nous se renforcent lorsque nous vivons dans la peur. Comme les situations de crise rapprochent souvent les humains, l'expérience de la peur tend à nous pousser à chercher des refuges, et cela même dans les marques ou les produits. Les consommateurs qui éprouvent de la peur en présence d'une marque s'y attachent plus fortement que ceux qui ressentent des émotions comme la joie, la tristesse ou l'excitation. Les découvertes récentes indiquent que dans certaines situations, nous pouvons nouer une véritable relation interpersonnelle avec les marques[3].

1. www.tc.gc.ca/fra/securiteautomobile/conducteurssecuritaires-securitedesenfants-avis-2007c09-menu-353.htm.
2. www.businessweek.com/articles/2014-10-16/americans-with-ebola-anxiety-go-shopping-for-clorox-lysol-cleaners.
3. Lea Dunn et JoAndrea Hoegg, « The Impact of Fear on Emotional Brand Attachment », *Journal of Consumer Research*, vol. 41, n° 1 (juin 2014), p. 152-168.

POLITICIEN

PEUT-ON VENDRE UN POLITICIEN COMME ON VEND DE LA LESSIVE ?

Chaque industrie a ses propres codes, ses impératifs, sa façon de communiquer. On ne peut vendre de la lessive comme on vend une voiture, ni un produit financier comme un téléphone... Cependant, dans l'ensemble de ces industries, les mécanismes marketing qui mènent à une communication efficace sont similaires. La politique n'échappe pas à la règle, elle est une industrie comme les autres. Une industrie dans laquelle gagnent presque toujours les « marques » les plus claires, les messages qui prennent le mieux en compte leur cible et ses aspirations, les stratégies les plus cohérentes.

Qu'il s'agisse d'une marque de voiture ou d'un prochain premier ministre, nous faisons toujours le choix qui se rapproche le plus de nos valeurs, celui qui nous inspire le plus confiance, qui remplira son mandat et sur lequel il est facile de se projeter. Nous voulons que la voiture soit fiable, sécuritaire et économique, et que le premier ministre soit compétent, honnête et proche des gens.

Quand les publicitaires arrivent dans l'entourage d'un homme ou d'une femme politique, ils cherchent habituellement à mieux centrer le message, à simplifier les idées, à trouver les formules accrocheuses. Par cet exercice, ils tentent de transformer des idées complexes en messages simples et digestes. On peut reprocher à l'exercice de réduire les enjeux politiques en slogans vides; cependant, quand la formule répond à une aspiration de l'électorat, une mobilisation et une réappropriation populaires sont possibles. Quand la magie opère, le politicien retrouve son statut de leader, le parti redevient une source d'appartenance. Aucun politicien ne peut gagner sans contenu, mais très peu peuvent convaincre sans se préoccuper du contenant.

PORTE-PAROLE

POURQUOI LES MARQUES RECOURENT-ELLES À DES CÉLÉBRITÉS POUR VENDRE LEURS PRODUITS ?

Qui n'a pas entendu parler du « collier de pur noisetier » ? La caution d'une personnalité connue et aimée du public profite aux marques de plusieurs manières, notamment en lui apportant une plus grande notoriété par le concours du porte-parole choisi.

Sans compter le transfert d'associations qui s'ensuit : quand nous voyons une célébrité soutenir un produit, nous avons tendance à transférer les caractéristiques de la célébrité à la marque. C'est pourquoi les marques tentent toujours de trouver des célébrités qui leur ressemblent. Par exemple, au début des années 1980, pour exprimer sa jeunesse et sa proximité avec les consommateurs plutôt dynamiques, Pepsi a choisi de s'associer à Michael Jackson et de devenir le cola d'une nouvelle génération.

Comme le transfert de caractéristiques est bidirectionnel, les porte-parole profitent parfois autant que la marque de cette exposition médiatique ou de cette association. Devenir le porte-parole d'une marque visible peut contribuer à lancer des carrières en donnant de l'exposition médiatique, comme ce fut le cas pour Benoît Brière (Monsieur B, Bell), pour Sylvain Marcel (pharmacien, Familiprix) et même pour Martin Matte (Honda).

QUI EST LE PORTE-PAROLE PARFAIT ?

Il faut que l'association à la marque serve la position recherchée dans le marché. Une marque populaire ira chercher une vedette accessible. Une marque internationale de luxe ira chercher une vedette noble et prestigieuse. En d'autres mots, il faut que l'association soit naturelle… et crédible. En plus des questions d'appréciation, les marques demandent souvent à leurs clients s'ils pensent qu'il est probable que le porte-parole utilise vraiment le produit. Quand trop peu de consommateurs trouvent le lien crédible, la pertinence du porte-parole est souvent remise en question. En 2007, Suzuki Canada, qui désirait davantage rejoindre les amateurs de plein air, a mis fin à son association de plus de cinq ans avec Véronique Cloutier, estimant que cette dernière ne collait plus aux nouvelles orientations de la marque. Consciente de l'écart qui s'était creusé entre son image et celle du constructeur japonais, l'animatrice québécoise a même déclaré : « Si quelqu'un cherche un porte-parole pour annoncer du *gloss*, je suis disponible[1]. »

Environ la moitié des porte-parole publicitaires sont des acteurs et des comédiens. Au deuxième rang viennent les sportifs. L'avantage des comédiens ? Ils savent jouer et peuvent plus facilement faire valoir un message de marque à la caméra. Ils ont aussi des carrières plus stables que les sportifs, qui peuvent facilement passer de héros à zéro.

ET QUAND ÇA TOURNE MAL…

Du milieu des années 1970 au début des années 1990, un footballeur américain connu était le porte-parole de la compagnie de location de voitures Hertz. Ça vous dit quelque chose ? Porteur de ballon talentueux, il avait réussi la première saison de plus de 2 000 verges de course de l'histoire de la NFL. L'athlète de l'année de l'Associated Press en 1973 était aussi à l'aise devant la caméra, ce qui en faisait un porte-parole exemplaire. Son visage vous revient ? Il est demeuré porte-parole de la marque jusqu'en 1992, année où les accusations de violence conjugale ont poussé Hertz à mettre fin à leur entente. Un peu moins de deux ans plus tard, leur ex-porte-parole faisait encore les manchettes. Cette fois, il était la vedette d'une poursuite policière à bord d'un Bronco, tentant d'échapper aux accusations de meurtre de son ex-femme. Eh oui, Hertz a dû alors se féliciter d'avoir pris à temps ses distances avec O. J. Simpson.

O. J. Simpson n'est pas le seul porte-parole à être devenu toxique pour une marque. Kate Moss, tantôt la chouchou des marques de mode, est devenue « Cocaine Moss » à la suite de la publication de photos incriminantes dans le *Daily Mirror*. Signalons également Nike, qui a mis fin à son soutien à la fondation Livestrong après les aveux de tricherie de Lance Armstrong.

POURQUOI NIKE A-T-ELLE MAINTENU SON ASSOCIATION AVEC TIGER WOODS, ALORS QUE CADILLAC, TAG HEUER ET ACCENTURE Y ONT MIS FIN?

L'objectif de la caution publicitaire est le transfert de caractéristiques et de crédibilité. Quand surviennent des problèmes de réputation pour les porte-parole, les marques se demandent si les caractéristiques qui contribuaient à construire leur identité sont toujours présentes. Dans le cas des voitures et montres de luxe Cadillac et Tag Heuer, autant que dans le cas de la multinationale de consultation en gestion et en technologie Accenture, l'image de « bon garçon responsable » de Tiger Woods était primordiale pour leur marque. Dès qu'il s'est mis à faire la manchette pour ses écarts de conduite et son infidélité, les marques partenaires se sont retrouvées avec un problème d'image: on a engagé un gentleman comme porte-parole et il s'est transformé en un coureur de jupons. Du point de vue de Nike, néanmoins, bien que Woods ait eu des problèmes d'ordre privé, il demeure un des meilleurs joueurs de golf au monde. Pour les marques partenaires, la décision de poursuivre ou de rompre peut se justifier par le fait que Woods peut encore insuffler de la performance à la marque de sport. Toutefois, il ne peut plus contribuer à la perception de noblesse des marques de luxe.

1. « Véro ne roule plus en Suzuki », *La Presse*, vendredi 19 janvier 2007, cahier Arts et spectacles, p. 3.

POSITIONNEMENT

TOUTES LES MARQUES CHERCHENT LE MEILLEUR POSITIONNEMENT, MAIS QU'EST-CE AU JUSTE ?

Depuis l'âge de *Mad Men*, un concept ressort des efforts de communication : les marques doivent trouver une place distincte dans le marché. Don Draper, le héros de *Mad Men*, cherche le USP (*Unique Selling Proposition,* ou argument unique de vente). Les communicateurs d'aujourd'hui nomment « positionnement » l'espace que les marques cherchent à occuper dans notre tête de consommateur. Comme le positionnement consiste en une série d'associations mentales, aucun publicitaire n'exerce un empire absolu sur le positionnement. Lorsqu'une masse critique de gens ont une perception similaire du produit ou de l'entreprise, on parle d'une marque forte.

La très grande majorité du temps, il s'agit de perceptions positives construites par la publicité au fil du temps. Certes, une perception répandue peut aussi être négative. En effet, à une certaine époque, Lada occupait manifestement un espace négatif dans la tête de la plupart des automobilistes. Cette perception aurait été difficile à déconstruire en communication.

POUR COMPRENDRE LE POSITIONNEMENT

Dans notre tête de consommateur, il y aura toujours une marque de voiture plus fiable, une marque plus sécuritaire, une marque plus audacieuse. Quand Toyota réussit à être perçue comme LA plus fiable, ce succès lui assure des ventes. Quand Volvo nous vante à répétition sa sécurité, on finit par la croire. C'est pourquoi toutes les marques essaient de s'attribuer un territoire bien défini. En fait, choisir un positionnement, c'est comme choisir une banquette en montant dans l'autobus... Certaines places sont meilleures que d'autres, mais plusieurs sont déjà occupées. Habituellement, on choisit la meilleure place encore disponible. Parfois, on jouera même du coude pour rogner sur une place déjà occupée, mais il y faudra des efforts. D'autre part, une fois qu'on a conquis une place, il faut s'assurer d'être assez fort pour la défendre au besoin. Devant plusieurs sièges inoccupés, vous n'avez pas intérêt à choisir celui qui est réservé aux personnes âgées, car vous risquez ainsi de devoir céder ensuite votre place sans pouvoir en trouver une de libre. Il en va de même pour les marques mal positionnées qui ne veulent pas investir en publicité, par peur de se faire voler leur place dès l'arrivée d'un nouveau concurrent.

ÊTRE DIFFÉRENT OU INVISIBLE

Si le positionnement de la marque n'est pas suffisamment distinct dans son industrie, elle peinera à se faire remarquer et elle sera condamnée à concurrencer sur le prix. On voit souvent des produits « *me-too* », des imitations utilitaires, tenter leur chance dans le marché. Au mieux, ils s'emparent d'une partie des achats des consommateurs les moins engagés, les moins fidèles, mais ils se font déclasser dès qu'un nouveau joueur réussit à produire le même bien pour quelques sous de moins.

LES MARQUES SONT-ELLES CAPABLES DE TENIR LEURS PROMESSES?

Les marques sont reconnues pour avoir une certaine expertise et il est parfois difficile de concilier cette reconnaissance publique avec la volonté des marques de lancer de nouveaux produits. Par exemple, avec sa philosophie du jetable, la compagnie Bic a tenté sa chance dans plusieurs industries, notamment les sous-vêtements et le parfum. Bien que nous reconnaissions l'utilité et l'intérêt des stylos, des rasoirs et des briquets de la marque, nous ne sommes guère portés à lui accorder la palme du goût et du design. C'est pourquoi il nous est difficile de lui confier nos sous-vêtements ou notre odeur corporelle.

ALORS, LA PUB CRÉE-T-ELLE DE NOUVEAUX BESOINS?

Les publicitaires vous répondront que les marques ne font que réagir à un marché où le consommateur est constamment à la recherche de nouveauté. Prenons l'exemple du café: les machines fonctionnant avec des doses individuelles en capsules répondaient-elles à un besoin ou l'ont-elles provoqué? D'un point de vue strictement commercial, la consommation de café encapsulé représentait une niche potentiellement rentable. La publicité a réussi à rendre le produit «sympathique» aux yeux des consommateurs. Aujourd'hui, le café en capsules est devenu essentiel dans bien des foyers (en dépit de son coût et de son impact environnemental).

PROPAGANDE

À QUEL MOMENT LA PUBLICITÉ DEVIENT-ELLE PURE PROPAGANDE ?

Quand la communication vise à faire accepter certaines doctrines ou idéologies, notamment dans le domaine politique ou social, on parle de propagande. Le terme « *propagande* » est relativement récent. Il n'était pas très employé avant de servir à définir les techniques de persuasion mises en œuvre pendant la Première Guerre mondiale. C'est à ce moment que le terme est devenu synonyme de mensonge et de manipulation. Dans sa définition plus large de persuasion des masses, la propagande peut-elle être louable ? Pour convaincre les fumeurs d'écraser ? Pour persuader les automobilistes de s'attacher ou de laisser leur téléphone de côté ? Plus les communicateurs estiment la cause noble, plus les risques de débordements sont grands. En effet, un petit mensonge, le traficotage d'une image, une entorse aux faits semble bien inoffensifs quand on pense sauver des vies. C'est aussi souvent dans un contexte de messages conflictuels que le communicateur se donne le droit de ne pas présenter toute la vérité, se disant que c'est la tâche de son adversaire de faire voir le point de vue opposé ou complémentaire. C'est le cas en politique, en droit, mais également en publicité.

LA PROPAGANDE GAGNE EN IMPORTANCE

La communication est une arme de plus en plus utilisée dans les conflits modernes et l'omniprésence des médias sociaux donne un second souffle aux tactiques de propagande. Par exemple, le groupe armé État islamique exploite Twitter, YouTube et Facebook pour susciter la peur et inciter des apprentis djihadistes à se joindre au mouvement. Le groupe armé publie des images de combat, des vidéos de décapitation d'otage, tweete des photos attestant sa prise de contrôle de certains territoires, fait l'hagiographie des djihadistes tombés au combat. Une vidéo de recrutement aux airs du populaire jeu vidéo *Call of Duty* a même servi à recruter de nouveaux combattants. C'est l'accessibilité des moyens de communication qui permet aujourd'hui à chacun de tenter sa chance en propagande et d'essayer d'endoctriner son prochain.

Le Département d'État américain met toujours en œuvre les tactiques traditionnelles dont les campagnes publicitaires, les visites diplomatiques et les programmes d'échanges. Or, depuis 2010, les Américains multiplient les communications et les interactions sur Twitter et Facebook, Tumblr et YouTube comme outils de contre-propagande. Par exemple, en réponse aux messages d'al-Qaïda, le Département d'État américain a publié en plusieurs langues, dont l'arabe, le punjabi et le somali, des messages qui mettent en lumière la brutalité des terroristes.

Chaque fois que nous ouvrons la télé ou la radio, ou que nous visitons les médias sociaux, chaque fois que nous ouvrons un livre ou un magazine, quelqu'un tente de nous convaincre d'une idée, de nous éduquer sur une question, de nous vendre un produit, bref de nous persuader d'adhérer à sa vision du monde. Dans son ouvrage de 1928, *Propaganda,* celui qui est considéré comme le

Un maître de la propagande politique : Mao Zedong, premier président de la République populaire de Chine.

père des relations publiques, Edward Bernays, annonçait que la propagande ne cesserait jamais d'exister.

PUBLICITÉ

QUE PENSENT LES CANADIENS DE LA PUBLICITÉ ?

Chaque année, l'organisme qui régit la publicité au Canada (Normes canadiennes de la publicité) demande à la population son point de vue sur cette forme de communication. Le plus récent rapport, publié en 2014, révèle que la majorité des Canadiens et Québécois croient que la publicité est nécessaire pour payer le contenu et les émissions qu'ils aiment, et ce, peu importent le type de média ou le profil démographique ; 53 % d'entre eux se disent plutôt favorables à la publicité et 16 % très favorables, alors que 30 % y sont défavorables. Pour 15 %, les publicités sont même très utiles et pour 42 %, plutôt utiles.

Selon eux, la pub se révèle même utile pour trouver de l'information sur les produits. Un seul critère cependant : la vérité est primordiale. Le travestissement et la publicité trompeuse ne sont pas tolérés par les consommateurs. C'est plus de 85 % des gens qui disent ne pas tolérer la publicité mensongère. Et même si l'information n'est pas un mensonge en soi, si la façon dont la publicité est produite laisse une impression trompeuse, c'est 92 % des Canadiens qui se disent prêts à boycotter le produit (61 % avouent l'avoir déjà fait). La même proportion estime qu'utiliser Photoshop, faire de l'écoblanchiment (*voir page 91*) ou recourir à de faux témoignages est inacceptable.

Ces chiffres sont intéressants, surtout lorsque l'on sait que les marques sont scrutées à la loupe, notamment sur les réseaux sociaux, où les groupes de consommateurs n'hésitent plus à dénoncer les pratiques les plus douteuses.

Le message de cette étude est donc clair pour les marques : ne mentez pas. Mais d'autres critères nous poussent aussi à rejeter parfois les publicités qu'on nous destine. Si les déclarations trompeuses ou fausses sont ce qui agace le plus, l'hypersexualisation arrive ensuite (12 %), puis l'utilisation de stéréotypes en général (11 %). Les Canadiens jugent massivement inacceptables la violence, l'âgisme, le sexisme, le racisme, les représentations dégradantes d'handicapés, les mauvais traitements des animaux, le manque de respect envers l'environnement et les représentations d'intimidation.

L'ŒUF OU LA POULE PUBLICITAIRE

La question de savoir si la pub influence la société ou si elle n'en est que le reflet est souvent soulevée. Pour 47 % des Canadiens, la publicité façonne les valeurs de la société, alors que pour 41 %, elle se veut plutôt un miroir de ces valeurs. Preuve en est que la publicité fascine autant qu'elle nous agace. Ce serait donner bien trop d'importance à la pub que de penser qu'elle façonne les valeurs de la société. Au mieux, la publicité anticipe des tendances déjà présentes dans certains groupes de la société et les accélère.

PUBLICITÉ NATIVE

POURQUOI LES NOUVELLES PUBLICITÉS PASSENT-ELLES EN MODE CAMOUFLAGE ?

On connaissait déjà les publireportages des magazines, qui tentent de nous faire croire que la publicité était intégrée au contenu de la rédaction, avec une mise en page et un style plus ou moins réussis. Depuis quelque temps, la publicité « native » a fait son apparition. Qu'est-ce que c'est ? Sur Internet, la publicité cherche à ressembler le plus possible au contenu et à l'environnement dans lequel elle est placée. Les marques cherchent à copier le style et le ton des articles en espérant que nous lui attribuerons la même crédibilité qu'au contenu rédactionnel.

Ainsi, lorsque vous allez sur le site du média d'information américain Buzzfeed, certains articles, marqués d'un bandeau « commandité », sont intégralement écrits sur commande : les marques paient pour que les journalistes relaient telle ou telle information sur le produit ou l'entreprise. Si, dans certains cas, on indique très clairement que l'article a été commandité, il arrive aussi que des sites peu scrupuleux entretiennent un certain flou et trompent le lecteur sur les véritables intentions d'un article.

Pourquoi ce procédé devient-il de plus en plus populaire ? Parce que les stratégies des publicitaires nous sont de plus en plus familières. Le bombardement quotidien d'informations et de publicité dont nous sommes la cible force les marques à repenser la façon dont elles nous parlent. De plus en plus de médias s'ouvrent à cette publicité parfois camouflée, forcés qu'ils sont de réagir à la pression des revenus publicitaires.

Pourtant, le genre ne fait pas l'unanimité parce qu'il brouille la frontière entre le contenu véritable, qui vise à nous informer sans pression commerciale, et le contenu dit « publicitaire », qui vise à nous faire acheter quelque chose. Buzzfeed est le précurseur de ce genre de publicités. Le site reconnu pour ses « listes » légères et divertissantes s'est rapidement mis à publier des contenus entièrement payés et façonnés par des grandes marques : Coca-Cola, Red Bull, etc. Heureusement, Buzzfeed fait toujours mention de la nature intéressée du contenu par une marque sur son site. Un lecteur peut donc facilement savoir qu'il est en train de lire un contenu entièrement payé et écrit par une marque.

En octobre 2014, le quotidien *Globe and Mail* a mis sur pied son nouveau service de publicités natives et propose désormais aux annonceurs le service de journalistes et graphistes pour créer du contenu original, dans le ton du média. Bien sûr, afin de protéger la crédibilité du journal, on annonce clairement qu'une marque est derrière, mais la frontière s'effrite tout de même entre la pub déguisée et le contenu.

Cependant, attention au camouflage ! Pour que la publicité native fonctionne, à la fois auprès des marques mais aussi des consommateurs, il faut avant tout raconter une histoire susceptible d'intéresser les lecteurs du média servant de diffuseur et indiquer clairement l'avertissement « contenu commandité », sous peine de perdre sa crédibilité auprès des lecteurs et de désobliger les consommateurs de la marque.

Ce marché est en pleine croissance : aux États-Unis, la publicité native ou éditoriale devrait représenter 4,5 milliards de dollars en 2017, alors que 90 % des principaux éditeurs américains proposent déjà des formats natifs sur leurs sites Web. Au Québec, même si les chiffres officiels n'existent pas encore, l'activité récente des services de publicité native dans les principaux groupes médiatiques québécois et l'embauche de spécialistes de contenus dans les grandes agences de publicité démontrent que le phénomène prend de plus en plus d'ampleur.

QUARTIER

Q

LES QUARTIERS SONT-ILS DES MARQUES ?

Un appartement ou un espace commercial coûte-t-il plus cher s'il est situé dans « HoMa » que dans « Hochelag' » ? Le *branding* est une réalité de plus en plus présente dans les stratégies de revitalisation et d'urbanisme, qu'il s'agisse d'un effort organisé par la ville ou une association de commerçants (Nouvo St-Roch à Québec) ou seulement une appellation à la mode (Mille-Ex à Montréal).

C'EST LA FAUTE À SOHO

Au début des années 1960, un comité d'urbanisme s'est penché sur le cas d'un quartier industriel malfamé de New York. Surnommé le *Hell's Hundred Acres* (les cent acres de l'enfer) en raison de ses nombreux *sweatshops,* de ses entrepôts glauques et de ses petites usines, il s'agissait d'un quartier industriel plus ou moins à l'abandon de jour et désert de nuit. C'est le professeur et urbaniste Chester Rapkin qui, dans son rapport sur le potentiel économique du quartier, a utilisé l'abréviation SoHo pour désigner cette zone industrielle située au sud de la rue Houston (*South of Houston*). La disponibilité de lofts peu dispendieux et la hauteur de leurs plafonds ont attiré leur lot d'artistes, qui eux-mêmes ont attiré des galeristes, suivis de restaurants, de bars, etc. L'appellation SoHo, évocatrice du chic quartier londonien du même nom, a

NoHo

SoHo

NoLita

TriBeCa

DUMBO

contribué à modifier la perception générale de cette zone et à la revitaliser.

NOBRO, BOCACA, CANDO? TOUS LES NOMS NE SONT PAS ADOPTÉS

Les propriétaires immobiliers ont grand intérêt à ce que leur quartier devienne le prochain SoHo, mais tous les efforts de *rebranding* ne fonctionnent pas nécessairement. Les noms qui prennent ancrage dans la façon dont les résidants perçoivent leur quartier et qui ont une consonance sympathique ont beaucoup plus de chances de devenir des étiquettes populaires. New York nous en offre de multiples exemples : NoLita (*North of Little Italy*), TriBeCa (*Triangle Below Canal Street*) et même DUMBO (*Down Under Manahattan Bridge Overpass*).

Le phénomène ne se limite pas à New York, puisqu'on peut visiter SoHo à Hong Kong (*South of Hollywood Road*), marcher dans SoBo à Mumbai (*South Bombay*) ou souper dans SoMa à Vancouver (*South of Main*) ou San Francisco (*South of Market*). Même Paris s'y met avec la tentative de rebaptiser son quartier chaud de Pigalle du nom de SoPi (*South Pigalle*, en anglais évidemment).

DES MARQUES FORTES

Certaines de ces appellations deviennent si puissantes qu'elles inspirent d'autres marques. C'est ainsi que Subaru a nommé un de ses modèles de voitures en l'honneur d'un quartier chic et dans le vent de Manhattan : Tribeca. Moins en vue et plus confortable que le SoHo voisin, TriBeCa offre une image éloquente pour le constructeur japonais, qui se targue d'être moins clinquant que les marques allemandes de luxe. À défaut d'avoir les moyens de vivre à TriBeCa, peut-être pouvons-nous conduire une voiture du même nom…

QUÉBEC

POURQUOI LE CONSOMMATEUR QUÉBÉCOIS EST-IL SI DIFFÉRENT EN PUBLICITÉ DU RESTE DU CANADA ?

L'industrie publicitaire s'est construite sur la différence culturelle du Québec et sur la plus grande capacité des Québécois à rejoindre et à persuader les Québécois. Encore aujourd'hui, les Québécois voient davantage de publicités spécifiquement conçues pour eux que les autres Canadiens, plus souvent exposés à des campagnes américaines ou mondiales. C'est la différence linguistique qui contribue à matérialiser la différence culturelle et qui pousse certaines marques à produire des messages ciblés. Le sondage annuel des Normes canadiennes de la publicité conclut d'ailleurs que c'est cette proximité avec l'industrie et les messages conçus localement qui font des Québécois les consommateurs les moins sceptiques à l'égard de la publicité au pays.

SOMMES-NOUS PLUS FRILEUX QU'AILLEURS ?

Au Québec, le niveau de tolérance aux publicités osées est plutôt... mince. Au début des années 1990, la marque Wonderbra, fondée à Montréal, commercialisait ses soutiens-gorges *push-up* par une campagne mettant en vedette la mannequin Eva Herzigova, en sous-vêtement, avec comme accroche : « Regardez-moi dans les yeux... J'ai dit les yeux. » Cette campagne a contribué à faire exploser les ventes en Europe et aux États-Unis. Chez nos voisins du Sud, il se vendait alors un *push-up* Wonderbra toutes les 15 secondes.

Quelques années plus tard, Marie-Chantal Toupin reprend presque le même slogan sur un panneau aux abords du pont Jacques-Cartier, et elle attire rapidement l'attention et la critique avec son « Regardez-moi droit dans les yeux ». Plus récemment, une publicité proallaitement mettant en vedette Mahée Paiement dans une robe du soir, vantant un « allaitement sexy », a aussi fait couler beaucoup d'encre... Ce type de levée de boucliers, aujourd'hui amplifiée par les réseaux sociaux, nous rappelle la sensibilité (parfois excessive) des Québécois.

LES QUÉBÉCOIS : DES CANADIENS QUI PRIORISENT LE PLAISIR

La santé, le plaisir et la vie de famille sont les valeurs qui trônent au sommet de la liste de priorités des Québécois, devant l'argent, l'emploi et la religion. Cette tendance au plaisir ne s'estompe pas, elle continue d'accroître la différence entre la Belle Province et le reste du pays. Par exemple, 72 % des Québécois déclarent que le sexe est important, par rapport à 42 % dans le reste du Canada. Nous ne voulons pas en voir dans nos pubs, mais nous ne voulons pas non plus nous en passer. Pas plus que de notre humour, d'ailleurs. Bref, plus de 7 Québécois sur 10 sont d'accord avec l'affirmation « il vaut mieux manger, boire et être heureux aujourd'hui, parce qu'on ignore ce que demain nous réserve ». Dans le reste du pays, moins du tiers des gens adhèrent à cette vision hédoniste.

DES VALEURS QUI INFLUENT SUR LES ACHATS

Les achats impulsifs sont deux fois plus fréquents chez les Québécois que chez les Canadiens. Cette impulsivité et cet épicurisme sont particulièrement visibles dans les supermarchés, où 80 % des Québécois arrivent liste en main, mais se laisser tenter par leurs envies pour les trois quarts d'entre eux. Cette recherche du plaisir fait d'ailleurs des Québécois des consommateurs plus curieux et plus enclins à l'exploration culinaire.

RABAIS

LE PRIX A-T-IL UNE INFLUENCE SUR NOTRE APPRÉCIATION D'UN PRODUIT ?

Les réductions et les promotions représentent des économies bien concrètes pour les consommateurs et elles influent sur le type et la fréquence des achats. Quand nous obtenons un bon prix, nous en éprouvons généralement un sentiment de fierté, nous nous trouvons intelligents et cela nous met de bonne humeur. Il est reconnu que notre humeur influe sur notre perception et notre expérience de consommation. Plus nous économisons, plus nous sommes heureux et meilleure est notre expérience du produit.

Toutefois, nous savons aussi que plus un produit est coûteux, plus nous avons tendance à évaluer positivement sa qualité. Moins nous payons cher, plus nous consommons le produit de façon désinvolte. Une bouteille de vin de grand prix est goûtée avec beaucoup plus d'attention que notre vin habituel. Plus c'est cher, plus nous estimons le produit et meilleure est notre expérience de consommation.

Alors, une réduction influence-t-elle positivement ou négativement notre satisfaction ?

Une partie de la réponse réside dans le délai entre l'achat et la consommation. Quand un bien est consommé tout de suite après un achat à prix réduit, l'impact positif sur l'humeur tend à être plus important que l'effet négatif du bas prix. Cependant, cet effet de bonne humeur s'estompe plus rapidement que notre mémoire du prix payé. Si bien qu'un chocolat acheté à bas prix apportera plus de satisfaction s'il est mangé immédiatement que trois jours plus tard.

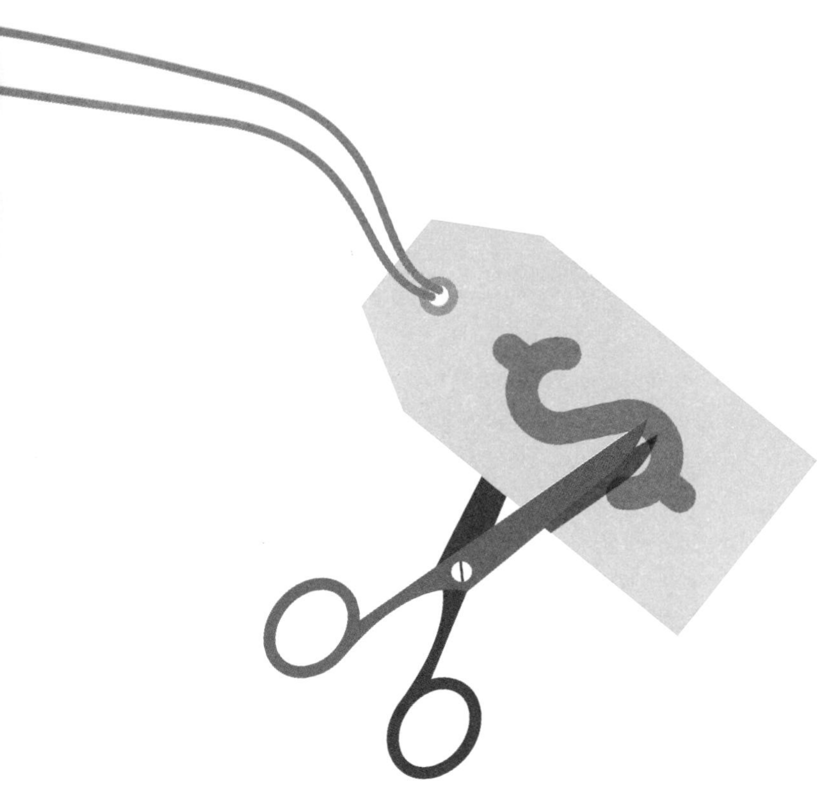

SENS

COMMENT LES MARQUES UTILISENT-ELLES NOS SENS POUR VENDRE DAVANTAGE ?

L'odeur d'un vieux livre ou de la sauce à spaghetti de maman peuvent nous apaiser. La chanson de notre premier amour peut nous rendre nostalgiques. Le goût d'une épice nous ramène mille images d'un voyage. Nos sens ont un accès privilégié à notre mémoire et influent sur nos émotions. Comme ces odeurs, saveurs, sons et textures nous influencent, les marketeurs s'y intéressent.

Plusieurs d'entre nous ont un souvenir très clair de l'odeur caractéristique de leur première voiture neuve. Certaines personnes mentionnent même que la disparition de cette odeur constitue un des déclencheurs les incitant à changer de véhicule. Or, l'odeur d'une voiture neuve est une mystification qui relève du marketing : elle émane davantage d'une substance vaporisée que des matières neuves entrant dans la construction du bolide[1]. Et pourtant, notre nez est souvent l'outil qui détermine à quel moment notre voiture n'est plus « neuve ».

L'odeur de pain frais à l'épicerie, le blanc éclatant du Apple Store, la musique apaisante du rayon des cosmétiques ou entraînante des boutiques de vêtements pour adolescents Abercrombie & Fitch, tous ces stimuli sensoriels qui éveillent des émotions sur les lieux de vente sont souvent soigneusement choisis.

Les marques les plus puissantes réussissent à s'ancrer dans l'un ou l'autre de nos sens et à créer un logo sensoriel reconnaissable et mémorable. C'est le cas du *jingle* d'Intel, qui s'entend au démarrage d'un ordinateur muni d'un de ses processeurs. Une marque de détergent à vaisselle commercialise le même liquide sous diverses couleurs parce que le jaune est perçu comme plus efficace contre les graisses, le blanc comme plus antibactérien et le rose comme plus délicat pour les mains. Pensons aussi à l'iconique télécommande des appareils haut de gamme Bang & Olufsen, que la marque veut volontairement lourde et massive. C'est ce son, cette couleur, cette sensation tactile qui influent sur notre perception de qualité et de performance, bien plus que la vitesse du processeur en millisecondes, la quantité de film résiduel sur la vaisselle ou l'amplitude du son dans les basses fréquences. Il en va de même du petit chocolat sur notre oreiller à l'hôtel. À défaut de pouvoir juger un produit avec précision, nos sens guident notre perception et nos achats.

UN ESPACE SENSORIEL PLUS HARMONIEUX

Il est primordial pour les marques et les espaces de détail d'offrir un environnement généralement agréable, mais aussi adapté à la clientèle et au produit vendu. Dans une étude de 1988, des consommateurs ont magasiné dans une boutique diffusant en arrière-plan soit de la musique instrumentale (*easylistening*), soit de la musique du top 40 à plus fort volume, soit aucune musique. Lorsqu'on leur a demandé d'évaluer la durée de leur visite à la boutique, les jeunes de moins de 25 ans ont surestimé cette durée quand la musique était instrumentale, alors que les consommateurs plus âgés l'ont surestimée quand la musique était du top 40[2].

C'est donc notre appréciation de l'environnement qui détermine combien de temps nous sommes prêts à demeurer dans un magasin et, tous les publicitaires le savent, plus nous restons longtemps dans un commerce, plus nous avons de chance de trouver un petit quelque chose.

Plusieurs études démontrent que les hommes n'aiment pas s'attarder dans les commerces où règnent des odeurs généralement reconnues comme étant plutôt féminines[3]. Réciproquement, les femmes tendent à éviter les boutiques dont le parfum signature est trop masculin. Bref, les marques et les détaillants cherchent à offrir des environnements en parfaite harmonie avec nos goûts et notre envie de dépenser. Qui a dit que l'argent n'avait pas d'odeur ?

1. Martin Lindstrom, *Brand Sense – Build Powerful Brands through Touch, Taste, Smell, Sight and Sound,* Free Press, 2005.
2. Richard F. Yalch et Eric Spangenberg (1990), Effects of Store Music on Shopping Behavior, *Journal of Consumer Marketing*, 7 (printemps), p. 55-63.
3. Eric Spangenberg et coll. Gender-congruent ambient scent influences on approach and avoidance behaviors in a retail store, *Journal of Business Research*, vol. 59, n° 12 (novembre 2006), p. 1281-1287.

SEXE

LE SEXE FAIT-IL ENCORE VENDRE ?

La publicité nous bombarde d'images à connotations sexuelles. On lui reproche souvent son exploitation (et sa perversion) des canons de beauté. L'utilisation d'images sexy, voire hypersexualisées, est souvent décriée par les médias et les consommateurs. Les appels au boycottage sont fréquents devant l'exploitation du corps de la femme (et parfois de l'homme). Mais pourquoi alors les annonceurs prennent-ils le risque de déplaire ?

Ce n'est pas nouveau. Depuis plus de 100 ans, plusieurs entreprises ont eu recours à des images sexuées ou à des allusions sexuelles pour attirer l'attention sur leur produit ou plaire à leur clientèle. Aussi tôt qu'en 1871, Pearl, un cigarettier, dénudait la femme dans sa publicité. Face à ce succès, son concurrent, W. Duke & Sons proposait, dès 1885, des images érotiques à collectionner dans ses emballages. Le public féminin, de son côté, n'a pas été laissé pour compte : Ivory a diffusé des publicités montrant des groupes de marins nus prenant leur bain ensemble. Par la suite, ces images de nudité se sont étendues à l'ensemble de l'industrie. Encore aujourd'hui, la sexualité est très souvent exploitée pour vendre les produits destinés à mettre en valeur le corps : vêtements, parfums, cosmétiques, produits de luxe, etc.

IVORY SOAP had a good many unusual experiences during the war, and was found in many strange bath-tubs. Perhaps in none did it give more pleasure than in the one mentioned below, in a letter written on board one of the army transports:

"We all had a bath in a large canvas arranged for the purpose a few days ago, about 25 being under the hose at one time. Best of all, we had Ivory Soap. It certainly seemed like home to rub in the mild Ivory lather from head to foot and then feel the delightful exhilaration following a brisk rub down."

Publicité pour le savon Ivory diffusée en 1919, soit tout juste après la Première Guerre mondiale.

EST-CE QUE CELA FONCTIONNE?

Bien que le sexe et la violence attirent l'attention, plusieurs études démontrent que ces ingrédients dans une émission de télévision nuisent à la rétention des messages publicitaires. En bref, le sexe attire l'attention, mais il attire l'attention sur le sexe, pas nécessairement sur le produit lui-même.

S'INDIGNER, UN IMPACT RÉEL?

Assurément, mais pas nécessairement celui souhaité. Plusieurs controverses ont été profitables à des entreprises en raison de l'exposition médiatique ainsi suscitée. Pour qu'un scandale soit bénéfique pour une marque, il faut que le cœur de la cible (le segment rentable de la clientèle) ne soit pas d'accord avec la levée de boucliers. Si la clientèle cible se sent incomprise et estime que les critiques sont démesurées, non fondées ou abusives, elle pourra même encourager la marque à poursuivre face aux détracteurs. C'est sans doute ce qui a permis à American Apparel de poursuivre sa campagne hypersexualisée en dépit de critiques virulentes.

En bref, si le sexe permet à une marque d'être remarquée, il ne fait pas vendre pour autant!

SLOGAN

COMMENT FABRIQUE-T-ON UN SLOGAN PUBLICITAIRE ?

Just Do It. Qui ne connaît pas ce slogan iconique de la marque de sport Nike ?

Un slogan sert à camper une idée, à matérialiser le sens de la marque en une phrase que l'on veut équivoque, simple et mémorable. Souvent, les slogans ont une mélodie ou des rimes qui en favorisent la mémorisation ou l'effet dramatique à la fin des messages publicitaires. Avec le nom d'une marque, c'est sans doute l'élément marketing le plus difficile à créer. Mais lorsque les concepteurs trouvent le Graal des slogans, il peut coller à la marque pour des années et contribuer à former des impressions indélébiles dans nos cerveaux de consommateurs. Nous savons que le savon Ivory est « pur à 99,44 % » depuis plus de 120 ans, ce qui n'est pas sans influence sur notre perception. De même, il est facile de préférer Pepsi à Coke quand on sait que c'est le choix d'une nouvelle génération (slogan popularisé par Michael Jackson en 1984 et qui table sur les acquis de la *Pepsi Generation*, apparue en publicité au début des années 1960). Enfin, qui ne voudrait pas faire ses emplettes chez Wal-Mart, là où vous « Économisez de l'argent. Vivez mieux » ?

LES SLOGANS SONT-ILS DES VESTIGES D'UNE AUTRE ÉPOQUE ?

Aujourd'hui, plusieurs grandes marques décident de se passer de slogan. C'est notamment le cas de Starbucks, Lululemon et Apple, qui a laissé tombé depuis des années son célèbre « Pensez différemment ». Ce qui remplace cette structure de rappel et d'évocation de la marque, c'est un système graphique beaucoup plus présent et flexible qu'avant. Chez eux, le slogan, ce n'est ni plus ni moins que l'expérience et le look de la marque. La signature, c'est le produit…

ON TROUVE DE TOUT MÊME UN AMI !
— JEAN COUTU

PARCE QUE VOUS LE VALEZ BIEN !
— L'ORÉAL

J'AI ATTRAPÉ LE CHNAC !
— RENAULT 5 (FIN DES ANNÉES 1970)

LE LAIT, FRANCHEMENT MEILLEUR !
(1986)

STÉRÉOTYPES

POURQUOI UTILISE-T-ON TOUJOURS DES CLICHÉS EN PUB ?

D'un côté, les femmes sont des acheteuses compulsives, des folles de la propreté, des ménagères assidues à la tâche, des mères aimantes ; de leur côté, les hommes ne pensent qu'aux sports, aux belles femmes et… sont souvent de purs idiots. Les publicitaires le savent, ce sont des clichés inexacts, mais qui prennent ancrage dans des perceptions répandues. Ces stéréotypes permettent aux marques de raconter leurs histoires plus rapidement, de façon plus rigolote… à condition de ne pas offenser la cible.

Pourquoi les publicités ne restent-elles pas collées à la réalité ? Historiquement, quand une marque voulait convaincre un consommateur d'acheter son produit, elle devait d'abord flatter son ego et le dépeindre comme il se percevait. Quand les produits électroménagers ont fait leur apparition dans les années 1960, les publicitaires ont créé l'image de la parfaite femme au foyer, dont la plus importante aspiration était d'avoir une maison propre et bien tenue. À l'époque, les femmes n'avaient pas encore percé sur le marché du travail et les hommes avaient un rôle plus que secondaire dans la tenue du ménage.

Aujourd'hui, en dépit de l'émancipation des femmes et de la participation accrue des hommes aux tâches ménagères, la quasi-totalité des publicités que nous voyons s'adresse encore aux femmes. Qu'il s'agisse d'un produit pour elles, pour la famille ou même un produit masculin, ce sont bien souvent les femmes que l'on essaie de convaincre, car ce sont elles qui sont responsables de plus de 80 % des achats du foyer.

LES STÉRÉOTYPES POUR FACILITER LES SCÉNARIOS

Le rôle de la publicité est de faire passer un message en une fraction de seconde. Elle n'a pas le temps d'installer des personnages à la psychologie complexe, proches de ce que nous sommes réellement au quotidien. Les raccourcis impliquent des clichés et des stéréotypes, parfois très sexistes. Pourtant, depuis quelques années, plusieurs études démontrent que les consommateurs ne se reconnaissent plus dans l'univers publicitaire. Un Canadien sur cinq trouve qu'une publicité sexiste est inacceptable, et le nombre de consommateurs qui se disent prêts à boycotter un produit parce que la publicité ne reflète pas leurs valeurs ne cesse de croître. C'est pourquoi de plus en plus de marques cherchent à attirer l'attention des consommatrices en s'appuyant sur une vision plus réaliste plutôt que sur les images audacieusement retouchées et les mannequins exceptionnels que nous sommes habitués de voir. Dans cette veine, il y a bien sûr Dove, mais aussi Reitman (conçu pour la vraie vie), la politique de non-retouche des boutiques Jacob, etc.

En dépit des efforts de plusieurs marques pour s'éloigner des stéréotypes, certains annonceurs plongent encore plus loin dans la provocation pour se démarquer dans un univers hautement encombré... American Apparel propose des publicités ouvertement

sexistes, plusieurs marques de luxe nagent dans la porno chic et les déodorants Axe multiplient les hymnes à la virilité masculine... Les clichés ont la vie dure !

LE SAVIEZ-VOUS ?

La palme de la publicité la plus sexiste ne date pas d'hier. En 1960, la marque d'aspirateurs Hoover avait réalisé sa campagne du temps des fêtes autour du slogan : « Au matin de Noël, elle sera plus heureuse avec un aspirateur. »

SUPER BOWL

COMMENT LE SUPER BOWL EST-IL DEVENU UN ÉVÈNEMENT PUBLICITAIRE MONDIAL ?

La finale de la saison de la NFL est l'évènement télévisuel le plus suivi aux États-Unis. Avec un auditoire de plus de 110 millions d'Américains, il rejoint plus de 40 % des foyers. Mais surtout, le Super Bowl permet d'atteindre un public qui n'est guère friand de télévision. Dans ce contexte, rien d'étonnant si le prix des espaces média est très élevé. En 2015, la valeur moyenne d'un spot de 30 secondes pendant le match était estimée à 4,5 millions de dollars.

C'est Apple qui a lancé le bal avec la pub « *1984* » au Super Bowl de... 1984 (*voir* Apple). Encore reconnu par plusieurs comme le meilleur message publicitaire de l'histoire, le manifeste de lancement du nouveau Macintosh réalisé par Ridley Scott a servi à positionner Apple comme une entreprise anticonformiste de façon spectaculaire et durable. La publicité de 60 secondes a été produite avec un budget de quelque 900 000 $, somme impressionnante pour l'époque.

LES PUBS, PLUS POPULAIRES QUE LE MATCH

Plusieurs études le confirment, les auditeurs sont là pour les pubs autant que pour le match. Comment se fait-il que le même consommateur qui proteste contre l'omniprésence des pubs, qui les zappe le plus souvent possible, syntonise le match autant pour les pubs que pour le sport ? C'est que la masse critique d'auditeurs oblige les marques à rivaliser d'originalité et de créativité. Le résultat : une cuvée de publicités faites sur mesure, généralement créatives et très souvent spectaculaires. C'est cet aspect divertissant, par rapport à l'intrusion publicitaire habituelle, qui plaît. De fait, plusieurs Canadiens préféreraient s'abonner à un réseau de distribution télévisuelle américain précisément pour avoir accès aux pubs de nos voisins, ce qui montre bien la valeur que les spectateurs attribuent à cet aspect.

EST-CE LA BONNE AFFAIRE ?

Avec un coût de plus de 150 000 $ par seconde, comment un tel investissement peut-il être rentable ? Il faut ajouter à cette somme les coûts de production qui sont, pour les publicités à grand déploiement du Super Bowl, très souvent supérieurs à un million de dollars. Dans ces conditions, plusieurs annonceurs doutent de la rentabilité d'une présence lors du match. Or, un investissement au Super Bowl est plus pertinent que jamais. Avec les auditoires télé de plus en plus fragmentés et les nouvelles plateformes de diffusion (télé en ligne, plateforme sur demande, etc.), la capacité d'évitement des publicités est de plus en plus grande. C'est pourquoi une présence dans un évènement où la publicité est acceptée, voire attendue, demeure des plus judicieuses.

Sans oublier que le fait même d'avoir de la visibilité dans le match est un message pour la marque. Quand Chrysler a voulu marquer les esprits et reprendre sa place parmi les grands constructeurs automobiles, la marque a opté pour le grand coup : un message de deux minutes mettant en vedette Eminem. En plus de la nouveauté frappante du message et de la musique, plusieurs ont relevé le fait que la présence de Chrysler au Super Bowl était une preuve tangible du retour de l'entreprise à la santé financière. *The medium is the message,* et dans le cas du Super Bowl, le message est un message de leadership.

LES MARQUES PRESSÉES VONT-ELLES TUER L'INTÉRÊT ?

De plus en plus, pour « rentabiliser » leur investissement, les annonceurs déploient leur publicité du Super Bowl sur Internet avant le jour du match. Certains ont poussé cette logique à plusieurs jours, voire plusieurs semaines avant le match. En tentant de se démarquer, ils nuisent à l'effet d'ensemble. Leur propre publicité peut être vue, mais avec le temps, c'est le divertissement et la nouveauté qui en prennent un coup. Les amateurs de football sont prêts à demeurer attentifs pendant les pauses pour voir de nouveaux spots divertissants, drôles, touchants ou spectaculaires. La marque qui, à l'occasion du Super Bowl, présente une publicité déjà connue invite les auditeurs à aller chercher leur bière ou leurs ailes de poulet pendant la pause plutôt que pendant le match. Lors du dernier Super Bowl, plusieurs marques ont diffusé avant le match uniquement des « bandes-annonces » de leurs publicités afin de garder intact l'effet de surprise.

TÉLÉVISION

T

LA TÉLÉ, LE MÉDIA ROI AU QUÉBEC, MAIS POUR COMBIEN DE TEMPS ?

Les investissements publicitaires au Québec sont proportionnels aux habitudes de consommation des médias des Québécois, c'est-à-dire au temps que ces derniers consacrent à chacun d'entre eux. Et la télé demeure en tête, même si elle sera bientôt rattrapée par le numérique. En 2013, les investissements publicitaires au Québec, tous médias confondus, atteignaient les 2,7 milliards de dollars, le numérique faisant un bond en avant avec la percée des téléphones intelligents et de la publicité qui y est destinée.

Pourquoi la télé est-elle encore aussi forte au Québec alors qu'ailleurs dans le monde elle tend à baisser ? La force du « vedettariat » et la barrière de la langue y sont pour quelque chose : elles font du Québec un marché concentré où la télé occupe encore le premier rang. Malgré la diversité des chaînes spécialisées et la diffusion en différé sur le Web, les réunions de famille devant le petit écran les samedis et dimanches soir sont des habitudes bien de chez nous ! Au Québec, on a l'équivalent d'un Super Bowl presque tous les dimanches soir. Pas étonnant que les publicités télé soient aussi chères.

La montée en puissance de joueurs comme Netflix, qui permettent de regarder des films et des séries sur abonnement, donne toutefois du fil à retordre aux réseaux télé. Des séries comme *Orange is the new black* ou *House of cards* ont été entièrement produites et financées par Netflix et ont d'abord été vues sur cette plateforme avant d'apparaître sur le petit écran. Même YouTube annonçait à la fin 2013 avoir embauché des scénaristes et réalisateurs pour produire ses propres contenus exclusifs. Et que dire d'Apple qui propose des films et séries sur son très puissant iTunes? D'autre part, ces nouveaux joueurs attirent les jeunes, plus connectés sur le Web et avides de contenus « à la demande ». Les plus forts auditoires des chaînes télé ont 50 ans et plus, et les jeunes (18-24 ans) sont ceux qui passent le moins d'heures devant la télé par semaine (22 heures pour les 18-24 contre près de 53 heures pour les 65 ans et plus).

Le modèle des médias, au Québec comme ailleurs, est simple: les émissions et les contenus doivent amener le plus grand auditoire possible aux marques qui annoncent. D'ailleurs, Patrick Le Lay, un ancien président de la chaîne privée TF1, numéro un en France, a déjà affirmé, non sans cynisme:

> « Il y a beaucoup de façons de parler de la télévision. Mais dans une perspective *business*, soyons réalistes : à la base, le métier de TF1, c'est d'aider Coca-Cola, par exemple, à vendre son produit. [...] Or, pour qu'un message publicitaire soit perçu, il faut que le cerveau du téléspectateur soit disponible. Nos émissions ont pour vocation de le rendre disponible, c'est-à-dire de le divertir, de le détendre pour le préparer entre deux messages. Ce que nous vendons à Coca-Cola, c'est du temps de cerveau humain disponible. [...] Rien n'est plus difficile que d'obtenir cette disponibilité.

C'est là que se trouve le changement permanent. Il faut chercher en permanence les programmes qui marchent, suivre les modes, surfer sur les tendances, dans un contexte où l'information s'accélère, se multiplie et se banalise[1]. »

Mais si la télé et le Web arrivent en tête, la publicité se retrouve encore massivement dans les quotidiens et hebdomadaires, à la radio, en affichage et dans les magazines. Voici la répartition de l'argent investi par les marques au Québec[2].

INVESTISSEMENTS PUBLICITAIRES AU QUÉBEC EN 2013 — RÉPARTITION PAR MÉDIA[3]

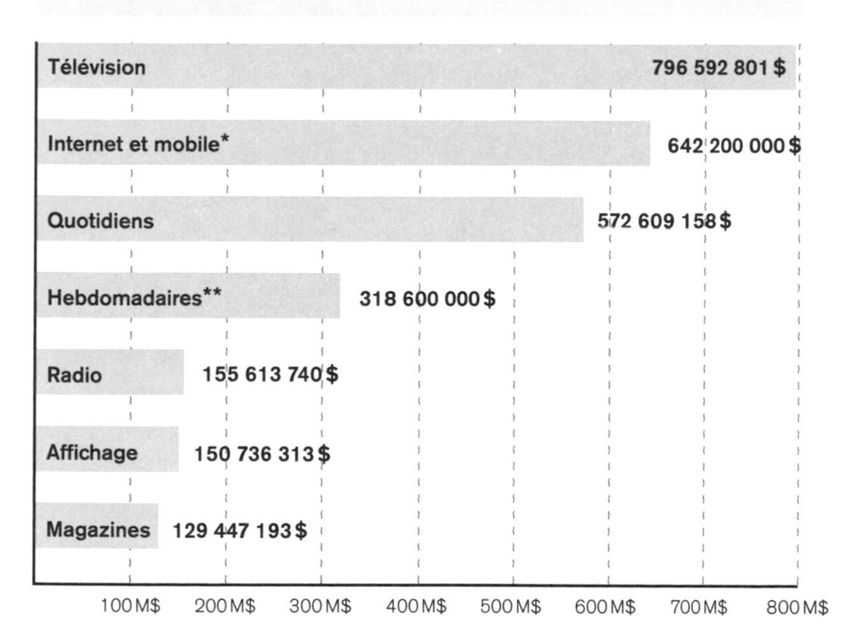

1. « Patrick Lelay, dearveleur ». *Libétation*, 10 juillet 2004.
2. Guide Média Infopresse 2014.
3. Nielsen Recherche Média. / *eMarketer, novembre 2013, estimé. / **Hebdos Québec, 2013.

TWITTER

LE RÉSEAU SOCIAL EST-IL DEVENU UN RÉSEAU DE DIFFUSION PUBLICITAIRE ?

Le bouche-à-oreille a toujours contribué à forger les opinions et à influencer les consommateurs. La recommandation d'un proche demeure la meilleure carte de visite pour une marque. Il n'est pas surprenant alors que les entreprises rivalisent de stratégies pour rendre le plus simple possible sur Twitter le relais d'information, le partage d'expériences positives et le référencement. Lancée comme une plateforme de microblogage, Twitter est aujourd'hui bien plus que ça. Pour ses adeptes, il est à la fois un agrégateur de contenu, une fenêtre sur l'actualité, un sondage continu et une plateforme de diffusion. Pendant le premier quart de 2013, Nielsen, un leader mondial de la mesure publicitaire, a recensé quelque 300 millions de gazouillis au sujet des émissions de télévision en cours : Twitter est devenu un espace de discussion et d'échanges sur nos émissions préférées, les résultats sportifs et la robe de telle ou telle vedette aux Oscars. Même les émissions en profitent, puisque l'enthousiasme de certains sur Twitter peut se traduire par une écoute télé plus importante. On ne veut pas être la personne qui n'a rien à dire à la machine à café.

Dans ce contexte, les marques cherchent à obtenir de la visibilité dans la conversation, en dépit du fait que seulement 12% des Québécois sont adeptes de Twitter (2013). Plusieurs d'entre elles émettent des messages conçus spécialement pour ce canal et vont même jusqu'à concevoir des publicités précisément pour cette plateforme. Si on ajoute la possibilité de payer pour la diffusion d'un message de marque, on devine que Twitter prend de plus en plus d'espace dans la stratégie des publicitaires. À la suite du message opportuniste d'Oreo pendant la panne de courant du Super Bowl 2013 (Oreo a profité de la panne de courant pour envoyer sur Twitter un message devenu viral), les marques semblent avoir pris conscience de la valeur de la communication contextuelle, en temps réel. Si bien que plusieurs ont rivalisé d'audace et de créativité pour s'approprier les feux des projecteurs lors du match de 2014. Par exemple, Volkswagen a réuni 15 publicitaires et partenaires d'agence pour tenter d'avoir son moment de gloire pendant le match. Avec un match à sens unique, l'intérêt était presque plus grand sur Twitter que sur le terrain et la Pizza DiGiorno a réussi à en profiter en annonçant fièrement que le match ressemblait à sa pizza, parce que c'était fini (*it was done*) après 20 minutes.

L'an dernier, MarketShare, une entreprise spécialisée dans l'analyse technologique, a estimé que Twitter favorisait des ventes de plus de 700 millions de dollars pour 20 grandes marques de voitures. Son impact positif est surtout dû à la diffusion de liens publicitaires, à l'amplification de la publicité télé sur un deuxième écran et à des mentions de marques positives.

Les marques commencent à considérer que les consommateurs potentiels qui sont simultanément téléspectateurs et actifs sur Twitter sont plus intéressants parce qu'ils sont plus engagés et moins à risque de zapper. Il n'en faut pas plus pour que Twitter commence à publier son classement des émissions entraînant la plus forte participation et que les médias commencent à jongler avec la possibilité de prendre en compte cette assiduité dans la tarification des espaces publicitaires. En bref, plus une émission sera populaire sur Twitter, plus les espaces offerts pendant les pauses publicitaires de l'émission coûteront cher.

UNILEVER

DOVE, KNORR, LIPTON, HELLMAN, AXE...
UNE SEULE ET MÊME MARQUE ?

Nous connaissons bien ces marques, mais moins bien la multinationale qui les produit et les met en marché : Unilever. Cette entreprise gigantesque qui est en activité dans l'agroalimentaire depuis 1930 est devenue un des principaux joueurs dans cette industrie et dans celle des biens de consommation courante. Elle est aussi l'une des entreprises qui investissent le plus en publicité dans le monde ! Unilever est un exemple de *house of brands,* c'est-à-dire d'entreprise qui fait cohabiter une somme de marques sous la marque discrète de la compagnie mère. Procter & Gamble, Johnson & Johnson et même General Motors ont choisi ce modèle. Elles commercialisent des marques autonomes sans donner trop de visibilité à l'entreprise centrale.

Avec plus de 400 marques à soutenir, la stratégie d'Unilever exige beaucoup de ressources et d'argent. Sa croissance par acquisition de marques demeure néanmoins pertinente parce qu'elle lui procure une diversification profitable. Cette diversité permet à Unilever de vendre des produits distincts qu'il serait difficile de commercialiser ensemble, comme la crème glacée Ben & Jerry et les détergents Persil. En outre, l'absence de parenté entre ces différents produits met ces marques à l'abri des mauvaises nouvelles et des crises pouvant toucher un des produits de la famille. Par exemple, quand du poison a été introduit dans plusieurs contenants de Tylenol en 1982, faisant sept morts et provoquant une commotion dans la région de Chicago, Johnson & Johnson et ses autres marques sont sorties de la crise sans trop de dégâts. Il faut saluer leur excellente gestion de crise, mais aussi le fait que peu de gens savaient que le producteur de Tylenol fabriquait aussi plusieurs produits, dont les shampoings et lotions pour bébés Johnson.

DOVE POUR L'ESTIME DE SOI, AXE POUR LA SÉDUCTION HYPERSEXUALISÉE

Plusieurs reprochent à Unilever de tenir un double discours avec ses marques Dove et Axe. Alors que Dove fait la promotion de l'estime de soi et de la beauté intérieure chez les femmes, Axe continue de miser sur les publicités hypersexualisées mettant en vedette des beautés plastiques. Unilever manque-t-elle à l'éthique en faisant cohabiter ces deux messages ? Est-il légitime de s'investir dans l'estime de soi des femmes avec une marque et de contribuer au problème décrié avec une autre ? Si le jury éthique est toujours en délibération, le marché, lui, a tranché : alors que Dove a augmenté ses ventes de 6 % à la suite du lancement de sa campagne « La vraie beauté », les ventes d'Axe atteignent maintenant quelque 600 millions de dollars annuellement. Deux stratégies opposées qui fonctionnent... toutes les deux !

LA TENTATION D'UNE MARQUE MÈRE

Au cours des années 2000, Unilever continuait de grandir en achetant des entreprises locales et se constituait un portefeuille de marques très imposant. En 1999, 75 % de ses marques ne contribuaient à la rentabilité de l'entreprise qu'à hauteur de 10 %. En quelques années, le groupe a fait un grand ménage pour gagner en agilité et est passé de 1 600 à 400 marques. Son président expliquait qu'il s'agissait d'une stratégie d'optimisation qui visait à « éliminer les mauvaises herbes pour faire plus d'espace pour les fleurs ». Seules les marques les plus imposantes ont mérité un soutien marketing et publicitaire; les autres ont été passées au crible avant d'être abandonnées ou vendues. C'est notamment le cas des sauces Ragú, de Bertolli, et du beurre d'arachide Skippy, qui ont été vendus. La marque VIM a été remplacée par Jif presque partout. Les droits de VIM ont été vendus à un groupe italien, mais la marque est toujours commercialisée par Unilever au Canada, au Sri Lanka et en Afrique du Sud. Dans certaines catégories, l'uniformisation se fait par le design. En effet, dans son secteur de la margarine, Unilever varie ses noms de marques selon les marchés (Rama, Blue Band, Planta), mais conserve une même plateforme graphique pour ces différents noms.

VENDREDI FOU

POURQUOI LES ACHATS DE NOËL COMMENCENT-ILS DE PLUS EN PLUS TÔT ?

Le vendredi fou, ou le *Black Friday* en anglais, c'est un peu le coup d'envoi du marathon de magasinage de Noël. Le terme est né à Philadelphie, un peu avant les années 1960, pour désigner les rues bondées pendant les festivités de *Thanksgiving*, spécialement le vendredi, où une grande partie des Américains étaient en congé. Ce *Black Friday* marquait aussi le retour à la rentabilité pour une grande partie des commerçants américains. Après le lendemain de Noël, toujours considéré comme le moment de la saison où les prix sont les plus bas au Québec, le *Black Friday* aux États-Unis arrive deuxième.

C'est une journée très importante pour les détaillants américains, et les bannières canadiennes emboîtent le pas. Les médias montrent chaque année des scènes d'émeutes de consommateurs qui rivalisent pour faire main basse sur ces réductions monstres. Officiellement, les soldes du *Black Friday* commencent le lendemain de l'Action de grâce américaine, soit le dernier vendredi de novembre, mais depuis quelques années, de nombreux détaillants offrent des réductions jusqu'à une semaine à l'avance.

On assiste également à une surenchère des heures d'ouverture et des réductions : les marques font tout pour attirer les clients, certaines n'hésitant pas à ouvrir leurs portes, ce fameux vendredi, dès 4 h du matin, ou même la veille au soir, à partir de 20 h ou de minuit, et à offrir des soldes pouvant dépasser les 80 %.

Il importe de rappeler que le *Black Friday* est le fruit de beaucoup d'efforts marketing pour accélérer les achats pendant la période des fêtes. Certains experts disent d'ailleurs qu'une partie des détaillants encaissent jusqu'à 20 % des revenus annuels de leurs sites Web pendant cette période. Par exemple, aux États-Unis en 2013, la fin de semaine du Vendredi fou a attiré 147 millions de consommateurs qui ont acheté pour plus de 52 milliards de dollars américains.

De tout, partout : les soldes du Vendredi fou, aux États-Unis comme au Canada, sont devenus un prétexte pour sabrer dans les prix et inciter à l'achat. Tout le monde s'y met, des détaillants d'alimentation (Loblaws, Provigo) aux banques (la Banque Laurentienne offrait à ses investisseurs en 2013 un taux de rendement privilégié durant cette journée-là).

Depuis quelques années, au Vendredi fou s'ajoute le Cyber lundi, vaste offensive des sites Web de détail (Amazon en tête), qui veulent eux aussi profiter de cette opération marketing et maximiser leurs ventes. Le phénomène est de moins en moins marginal : au Québec, 61 % des internautes achètent sur le Web et dépensent annuellement plus de 6,8 milliards de dollars (chiffres 2013, CEFRIO). Aux États-Unis, la somme rapportée par le commerce électronique pour la journée du Cyber lundi s'élèverait à 1,9 milliard de dollars, selon une estimation effectuée par la société Adobe en 2013. Ce total représente une progression de 39 % par rapport à 2012.

LA CRITIQUE DES CONSOMMATEURS

Face à la guerre des soldes et des heures d'ouverture, une partie des consommateurs critique vivement cette folie de la surconsommation. Ironie du sort, puisque la journée du Vendredi fou coïncide avec la Journée mondiale sans achats, qui milite contre la surconsommation. Lancé par le Canadien Ted Dave en 1992 pour dénoncer une société qui pousse à la surconsommation, le mouvement s'est étendu au monde entier, sous la forme de marches dans les rues et de vastes opérations dans les médias sociaux pour inciter les consommateurs à acheter de façon plus responsable. En 2011, Patagonia a frappé un grand coup en publiant à l'occasion du *Black Friday* une pleine page de publicité dans le *New York Times* avec le message « *Don't buy this jacket* ». Certaines marques semblent donc aller à contre-courant dans leur communication pour faire montre de leur sens de la responsabilité sociale.

Et vous, êtes-vous Vendredi fou ou Journée sans achats ?

VÉRITÉ

TOUTE VÉRITÉ EST-ELLE BONNE À DIRE EN PUBLICITÉ ?

En septembre 2014 à New York, lors de la cérémonie du prestigieux concours publicitaire CLIO, l'humoriste et comédien américain Jerry Seinfeld a commencé comme suit son discours de remerciement pour son prix honorifique : « J'aime la publicité parce que j'aime mentir. [...] Je pense que passer votre vie à essayer de duper des personnes innocentes pour les inciter à acheter des choses inutiles et de mauvaise qualité, c'est une très bonne façon de dépenser votre énergie. » Évidemment, avec une bonne dose d'ironie, il critiquait ce que beaucoup reprochent à la pub : sa tendance à ne pas tout dire, et parfois à embellir la vérité.

Selon les Normes canadiennes de la publicité (l'organisme qui régit l'industrie publicitaire au Canada), il est pourtant avéré que le mensonge est le premier facteur qui incite les gens à tourner le dos à un produit (92 % des consommateurs canadiens se disent prêts à cesser d'acheter un produit s'ils découvrent que la publicité est trompeuse, et 61 % avouent avoir déjà cessé d'acheter un produit parce qu'il n'était pas conforme au message publicitaire).

NOUS DIT-ON TOUTE LA VÉRITÉ?

Quand les réseaux sociaux sont apparus dans l'écosystème de la communication, de nombreuses marques ont été prises à partie par des consommateurs qui remettaient en question leur intégrité et la véracité de leurs publicités. McDonald's était l'une d'elles. En 2012, pour faire taire les mauvaises langues, elle a lancé une offensive de communication nationale: «Nos aliments. Vos questions.» Le but? Jouer le jeu de la transparence et permettre aux consommateurs de poser toutes les questions souhaitées au sujet du menu ou des ingrédients utilisés dans les recettes. Les photos sur les publicités sont-elles retouchées? Le fromage des burgers contient-il du plastique? Autant de questions dont les réponses permettaient de démentir certaines rumeurs. McDonald's, comme plusieurs marques, a fait le pari d'engager un dialogue avec ses consommateurs pour établir un lien de confiance tout en mettant les choses au clair: oui, le rôle de la publicité, c'est aussi de donner l'envie de consommer.

En septembre 2014, IKEA révélait que trois images sur quatre dans son catalogue étaient entièrement fabriquées par ordinateur. Même chose du côté des cosmétiques, où tout est retouché, magnifié. Il est plutôt rare que votre mascara allonge vos cils comme sur la publicité ou que vos sous-vêtements vous fassent ressembler à l'apollon sur la boîte.

S'il est admis qu'une marque ne doit pas mentir au risque de perdre ses consommateurs, elle doit néanmoins nous séduire. Et nous, ne demandons-nous pas à rêver lorsque vient le temps d'acheter un produit? Achèterions-nous vraiment la vérité sans filtre?

WEB

COMMENT LE WEB A-T-IL CHANGÉ LA COMMUNICATION DES MARQUES ?

Le Web fourmille de possibilités et les marques les plus créatives en profitent pour nous rejoindre de façon toujours plus inventive. Aujourd'hui, c'est 20 % des investissements publicitaires québécois qui sont directement effectués en ligne, contre moins de 1 % en 2003. Et bien qu'il existe d'innombrables sites, plateformes, applications et médias, les dollars demeurent concentrés dans les mains de quelques géants. Les cinq plus grandes entreprises technologiques que sont Facebook, Google, Yahoo, Microsoft et AOL recueillaient en 2013, aux États-Unis, 51 % des placements publicitaires d'affichage numérique.

Depuis leur avènement, les placements en ligne sont considérés comme un média en soi et plusieurs annonceurs ont tendance à y consacrer un budget déterminé. Plusieurs marques envisagent de rajeunir leur clientèle ou de communiquer leur modernité en affectant à la publicité en ligne une partie de leur budget marketing. Cependant, la frontière entre les médias est de plus en plus floue et il devient difficile de savoir combien une marque investit en ligne et hors-ligne. Une publicité vue sur Tou.tv, est-ce un placement Web ou un placement télé ? Et une publicité sur LaPresse+ ?

Au fond, peu importe. Comme consommateurs ou comme auditeurs, nous faisons peu de cas de la plateforme, notre intérêt étant spontanément centré sur le contenu. Pour regarder un épisode de notre téléroman favori, il nous est plutôt indifférent que ce soit au moment de la diffusion à la télé ou en différé avec la télévision sur demande, ou encore sur une plateforme de rattrapage comme Tou.tv. Il ne nous importe guère, également, que ce visionnage se fasse sur un téléviseur, un écran d'ordinateur, une tablette ou un mobile.

Les médias traditionnels (et plus anciens) jouissent d'une plus grande crédibilité quant aux messages qui y sont diffusés. En effet, en matière de crédibilité publicitaire, les Canadiens mettent le journal en tête de liste et classent les médias sociaux et les *pop-up* tout au bas de l'échelle. Ce qui détermine la perception de véracité, c'est notamment l'âge d'un média, mais aussi la qualité de ses annonceurs. C'est ce qui explique que, selon le même classement établi par les Normes canadiennes de la publicité, la radio FM, avec 10 % de plus de consommateurs confiants, arrive devant la radio AM, pourtant plus ancienne. Comme quoi la crédibilité des annonceurs profite au média autant que la crédibilité du média rejaillit sur les annonceurs.

Pour faire leur place dans un paysage média déjà sursaturé, les placements Web ont vanté leur capacité de fournir des résultats mesurés avec précision. Connaître à l'issue de la campagne le nombre de personnes exposées au message, le nombre de clics, combien de gens ont interagi avec la publicité, c'est très séduisant pour un annonceur. Mieux encore, les sites de commerce électronique sont généralement en mesure de récapituler le parcours d'un client, depuis son clic sur une publicité, jusqu'à sa sortie du site, en déterminant combien de temps il a navigué, quel contenu il a consulté, ce qu'il a acheté, etc.

COMMENT LA PORNOGRAPHIE FAIT-ELLE AVANCER LA TECHNOLOGIE ET LES MARQUES ?

Plusieurs ont attribué la victoire du VHS sur Beta (Sony) au fait que la Japonaise refusait de rendre le format accessible à l'industrie du X. Bien que la démonstration formelle n'en ait jamais été faite, la vigueur avec laquelle s'est répandue cette hypothèse dénote l'importance de l'industrie pornographique dans l'essor de la technologie. On sait qu'elle a donné un coup de main à la démocratisation de la caméra vidéo portative, du DVD et des appareils photo numériques.

Quand Apple a lancé son iPad il y a quelques années, il n'existait aucun module pour visionner des vidéos en *streaming*. C'est un site pornographique qui a trouvé le moyen de permettre aux utilisateurs de tablettes d'y visionner des films en *streaming*. Les technologies qui ont été adoptées ou propulsées par l'industrie du X ne se comptent plus tellement elles sont nombreuses. En ligne, le progrès technologique est encore plus apparent, avec la contribution de l'industrie à la démocratisation du partage vidéo, de la vidéo en direct, du chiffrement de données, de la validation des cartes de crédit, etc. Sans oublier l'adoption populaire de la connexion Internet haute vitesse.

Nous pouvons sans doute compter sur l'industrie du X pour investir dans la technologie 3D à domicile, les lunettes de réalité virtuelle et la mise au point des meilleurs logiciels antipiratage. Et quand la technologie se répand, les publicitaires accourent pour tirer profit des nouveaux canaux ainsi établis...

XXX

0000250

ZÉRO

LE MARKETING DU « SANS », UNE BONNE AFFAIRE ?

Nous vivons dans une ère qui valorise les produits naturels : alimentation, cosmétiques, jouets, si bien que les composants chimiques de nombreux produits sont pointés du doigt par des organismes et des regroupements de consommateurs. Dans les dernières années, la multiplication des crises alimentaires et l'omniprésence de ces groupes de consommateurs qui dénoncent certains abus des marques ont forcé les entreprises et les gens de marketing à changer leur vocabulaire.

Plutôt que de vendre en valorisant le contenu, les marques alimentaires, les produits de beauté et les boissons mettent de l'avant ce que leurs produits ne contiennent pas. On appelle cela le marketing du « sans ». Les gels douches sans parabène, les produits sans gluten, les déodorants sans aluminium et les pâtes à tartiner au chocolat sans huile de palme sont de plus en plus nombreux sur les tablettes de nos épiceries et de nos pharmacies.

Si cette approche soustractive est efficace pour rassurer les consommateurs (en alimentation particulièrement), elle risque néanmoins d'alimenter la méfiance sous un autre angle. Si on prend soin d'indiquer qu'un produit de beauté ne contient pas de parabène, c'est qu'il est possible qu'un produit de beauté contienne des substances nocives... Les consommateurs sont donc de plus en plus conscients du fait qu'une crème a beau être sans parabène, rien ne garantit qu'elle ne renferme pas d'autres produits dont l'innocuité n'est pas démontrée. Cette recherche du produit naturel à tout prix fait aussi oublier que certains additifs sont parfois nécessaires, surtout à l'échelle industrielle. C'est notamment le cas des conservateurs : dans bien des cas, ils sont indispensables à la préservation des produits. L'appellation « sans agents de conservation » n'est pas forcément un gage de qualité. D'autre part, on se fait beaucoup d'idées sur les produits naturels. Dans le domaine des produits de beauté, par exemple, il est presque impossible de fabriquer des produits sans les modifier.

Le marketing du « sans » est axé sur les deux grands enjeux de la sécurité et de l'environnement et s'applique particulièrement aux industries alimentaire et cosmétique en raison de leur lien étroit avec notre santé. Parabène, aluminium, huile de palme : autant de mots qui aujourd'hui nous font peur, alors que ce sont les marques elles-mêmes qui ont largement participé à les faire connaître.

AUTRE VARIANTE DU « SANS » : LE ZÉRO

Coca Cola a introduit sur le marché, il y a quelques années, son Coke Zéro, sans calories, plus léger que les boissons diète. Le zéro symbolise aussi la taille zéro, l'une des plus petites du marché. Le mot « zéro » est moins négatif que le mot « sans », mais reste plus flou. Le Coke Zéro ne contient pas de sucre, mais contient bien d'autres ingrédients !

Sans ou zéro, ne nous fions pas à la pub pour comprendre ce qu'un produit contient ou ne contient pas... Lire les étiquettes demeure la meilleure façon de savoir ce que l'on consomme.

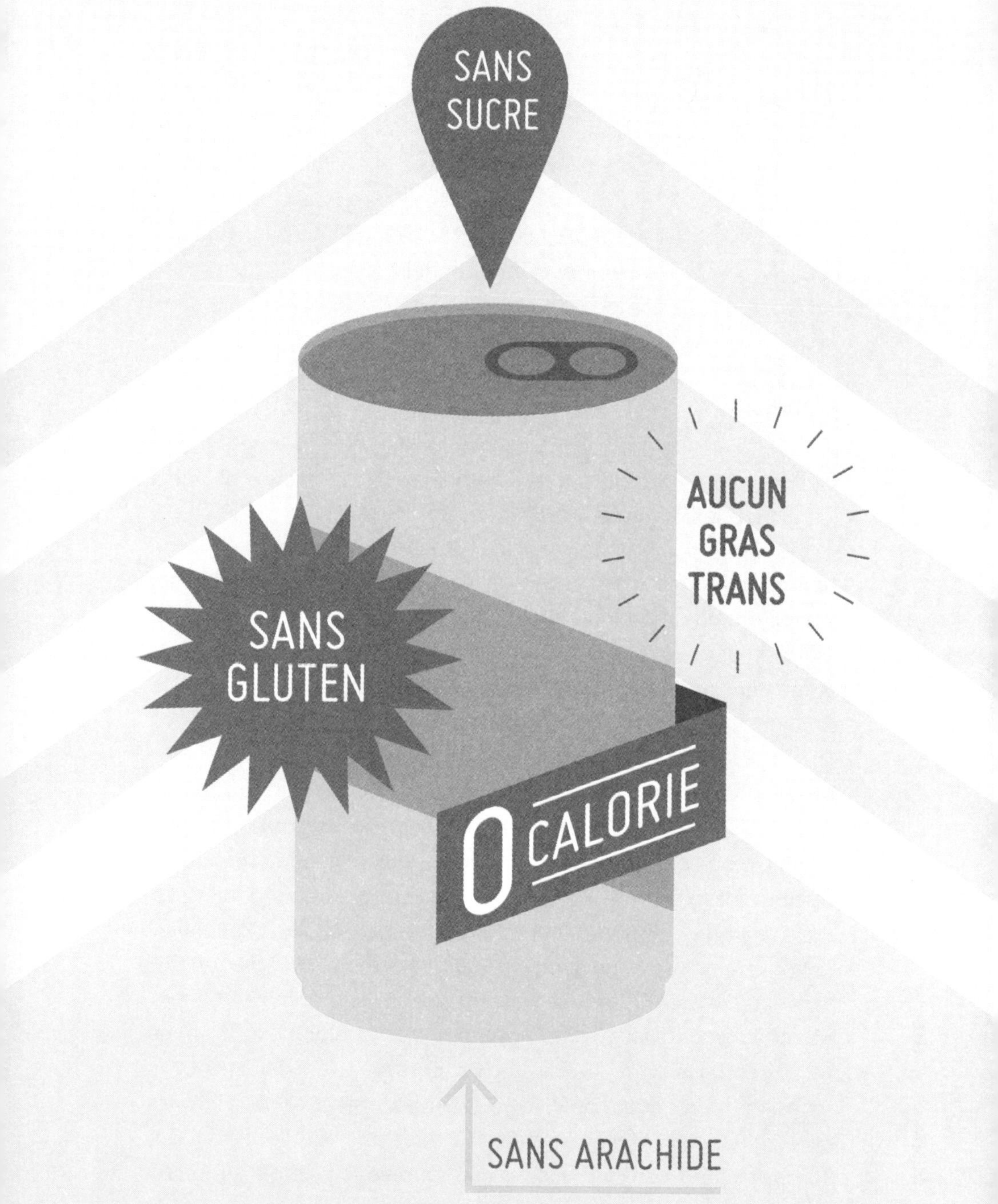

SANS SUCRE

AUCUN GRAS TRANS

SANS GLUTEN

0 CALORIE

SANS ARACHIDE

REMERCIEMENTS

MERCI !

Ce livre, nous le devons à toutes ces personnes qui nous ont aidés, lus, conseillés et soutenus.

Merci tout d'abord à Caroline Jamet, des Éditions La Presse, d'avoir cru en ce projet. Merci à Éric Fourlanty pour ses conseils, merci à Nathalie Guillet d'avoir «édité» ce livre avec tellement d'attention et de patience et merci à l'ensemble de l'équipe des Éditions La Presse pour son professionnalisme et sa gentillesse.

Merci à Catherine Perrin, Dominique Depatie, Barbara Judith Caron et toute l'équipe de *Médium large* à Ici Radio-Canada Première de nous recevoir en ondes chaque semaine avec autant d'enthousiasme et de bonne humeur. Être accueillis chez vous, c'est un peu notre heure de vacances hebdomadaire. C'est aussi grâce à vous que nous avons décidé d'écrire ce livre. ☺

Merci à *Infopresse* et à lg2, nos équipes respectives, de nous offrir des milieux de travail qui encouragent la créativité et la réflexion. Merci aussi pour leur ouverture et leur soutien envers ce livre. Chez *Infopresse*, merci à l'ensemble de l'équipe pour son énergie et son enthousiasme quotidien. Chez lg2, un merci particulier à Sylvain Labarre, Paul Gauthier, Gilles Chouinard, Marc Fortin, Julie Dubé, Mathieu Roy, Anne-Marie Leclair et à tous les autres leaders qui offrent le contexte parfait pour faire éclore de belles idées.

Merci à Maxime Sauté, de Sid Lee, d'avoir réalisé gracieusement la couverture du livre, et merci à Xavier Blais, Jonathan Rouxel, Philippe Brassard, Mathieu Bouillon et Alexandre Soublière d'avoir essayé de nous aider à trouver un titre. Les gars, on vous aime mais, finalement, on n'a pas retenu vos idées. Sans rancune ?

Pour leur lecture, leurs conseils, leur regard et leur encouragement, merci à Bruno Gautier, Isabel Charbonneau, Julie Buchinger, Alessandra Rigano, Benoit Reger, Maxime Ruel, Laurence Chalifour Saint Denis, Etienne Marquis, Hugo Couturier.

Merci à Anouk Lessard et à Eloi Beauchamp pour nos photos.

Merci enfin à nos familles et à nos amis pour leur soutien indéfectible dans ce projet, mais surtout parce qu'ils sont à l'origine de ce que nous sommes.

Arnaud et Stéphane

FSC
www.fsc.org